Los Fantásticos
Cuentos escogidos

© **Corporación Editora Chirre S.A.**
Director Fundador: Fortunato Chirre Fritas
Gerencia: José Luis Chirre Osorio
Gerentes Adjuntos: Luis Chirre Osorio
Juan Carlos Chirre Osorio

Responsable de Edición: Alfonso Chirre Osorio
Jefatura de Producción: Elieser Osorio Amaro
Jefatura Editorial
Adaptación y Compilación: Fernando Grados Laos
Jefatura de Diseño: Iván Durán Huamán

Primera Edición 2006
Primera Reimpresión 2009
© **Derechos de Edición Reservados**
Corporación Editora Chirre S.A.
Jr. Miguel Zamora 148. Lima 1 - Perú
Telefax: 424-7323 / 332-8342
E-mail: corchirre@hotmail.com
Web-site: www.chirre.com

ISBN: 978-9972-08-026-5
Hecho el Depósito Legal en la Biblioteca Nacional del Perú N.º 2009-12357
Proyecto Editorial N.º 31501000900752
Esta obra se terminó de imprimir en el mes de noviembre de 2009 en los talleres
gráficos de Corporación Editora Chirre S.A.
Av. Los Rosales 328 - Urb. Shangri-Lá / Puente Piedra / Lima
Teléfono: 715-6702
Tiraje: 10 000 ejemplares.

Impreso en Perú / *Printed in Peru*

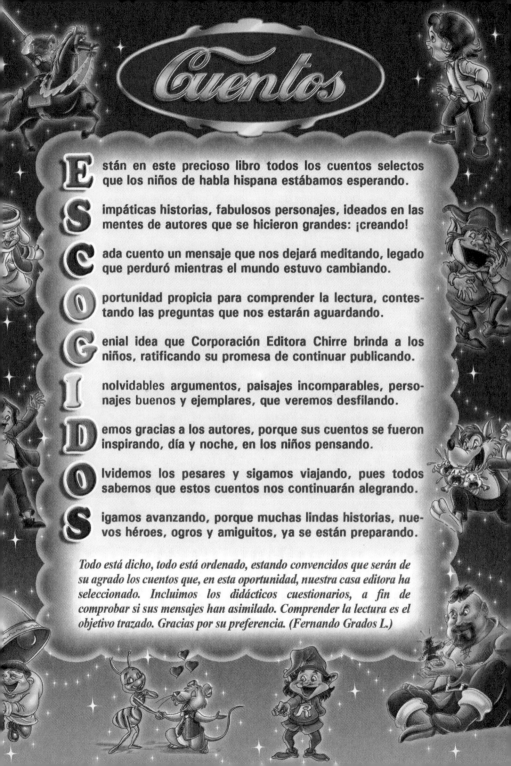

Cuentos

E stán en este precioso libro todos los cuentos selectos que los niños de habla hispana estábamos esperando.

S impáticas historias, fabulosos personajes, ideados en las mentes de autores que se hicieron grandes: ¡creando!

C ada cuento un mensaje que nos dejará meditando, legado que perduró mientras el mundo estuvo cambiando.

O portunidad propicia para comprender la lectura, contestando las preguntas que nos estarán aguardando.

G enial idea que Corporación Editora Chirre brinda a los niños, ratificando su promesa de continuar publicando.

I nolvidables argumentos, paisajes incomparables, personajes buenos y ejemplares, que veremos desfilando.

D emos gracias a los autores, porque sus cuentos se fueron inspirando, día y noche, en los niños pensando.

O lvidemos los pesares y sigamos viajando, pues todos sabemos que estos cuentos nos continuarán alegrando.

S igamos avanzando, porque muchas lindas historias, nuevos héroes, ogros y amiguitos, ya se están preparando.

Todo está dicho, todo está ordenado, estando convencidos que serán de su agrado los cuentos que, en esta oportunidad, nuestra casa editora ha seleccionado. Incluimos los didácticos cuestionarios, a fin de comprobar si sus mensajes han asimilado. Comprender la lectura es el objetivo trazado. Gracias por su preferencia. (Fernando Grados L.)

Conceptos básicos

Del cuento

«Narración corta, en prosa, que pertenece a la ficción literaria, ideada para producir una impresión rápida y llamativa». *Diccionario de la Lengua Española*

¿Qué concepto tiene del cuento? «Muy severo: alguna vez lo he comparado con una esfera; es algo que tiene un ciclo perfecto e implacable; algo que empieza y termina satisfactoriamente como la esfera en que ninguna molécula puede estar fuera de sus límites precisos». *Julio Cortázar*

«Escribir una novela es pegar ladrillos. Escribir un cuento es vaciar en concreto». «No sé de quién es esa frase certera. La he escuchado y repetido desde hace tanto tiempo sin que nadie la reclame, que a lo mejor termine creyendo que es mía. Hay otra comparación que es pariente pobre de la anterior: el cuento es una flecha en el centro del blanco y la novela es cazar conejos». *Gabriel García Márquez*

«El cuento literario consta de los mismos elementos sucintos que el cuento oral, y es como éste el relato de una historia bastante interesante y suficientemente breve para que absorba toda nuestra atención». *Horacio Quiroga*

«El cuento en la educación es un vehículo excelente para despertar la mentalidad, impartir instrucción moral, el interés por la ciencia, la historia, la geografía, los estudios de la naturaleza... también un precioso instrumento para estimular la sensibilidad artística y literaria y avivar el sentido crítico. Sin olvidar que el libro infantil surgió siglos atrás como instrumento destinado a la enseñanza». *Dolores Rodríguez Pedraza*

De la lectura

«La lectura hace al hombre completo; la conversación, ágil, y el escribir, preciso». *Sir Francis Bacon*

«El que lee mucho y anda mucho, ve mucho y sabe mucho». *Miguel de Cervantes Saavedra*

«La lectura es a la inteligencia lo que el ejercicio es al cuerpo». *Richard Steele*

«Lee y conducirás, no leas y serás conducido». *Santa Teresa de Jesús*

«Cuando rezamos hablamos con Dios, pero cuando leemos es Dios quien habla con nosotros». *San Agustín*

6

Los Frijolitos Mágicos

Hans Christian Andersen

eriquín vivía con su viuda madre en una cabaña muy pobre. Por eso, ella lo mandó al pueblo para vender la única vaca que tenían. En el camino, el niño se cruzó con un hombre: Te cambio mis frijolitos mágicos por tu vaca –le propuso.

Periquín aceptó y volvió feliz a casa. Pero la viuda, molesta, arrojó los frijolitos y lloró desolada. Por la mañana, el niño se asustó al ver que los frijoles habían crecido hasta el infinito. Trepó y llegó a un país extraño. Allí vio a un ogro y a su gallina que ponía un huevo de oro con sólo ordenarlo. Esperó a que el gigante se durmiera, tomó a la gallina y huyó con ella.

Llegó a las ramas, bajó, tocó el suelo y entró en la cabaña.

La madre agradeció a Dios el hallazgo. Así, vendiendo los huevos de oro, vivieron tranquilos mucho tiempo; hasta que la gallina se murió y Periquín tuvo que ascender otra vez al castillo del gigante. Se escondió, observando cómo el ogro contaba monedas de oro que extraía de un bolsón de cuero. En cuanto se durmió, salió Periquín y, recogiendo la talega, corrió hacia la planta y bajó a su cabaña. Así, tuvieron dinero para mucho tiempo. Pero llegó un día en que el bolsón de cuero quedó completamente vacío.

Y el niño tuvo que subir de nuevo al misterioso castillo.

Entonces, vio al ogro guardar un cofre que –cada vez que se destapaba– dejaba caer monedas de oro. Cuando el gigante salió, el niño cogió el cofre mágico y se lo guardó. El gigante fue a tumbarse en su camastro y un arpa, ¡oh maravilla!, tocaba sola bellísimas notas musicales. El ogro, al oír esas melodías, fue cayendo en un sueño profundo. Apenas lo vio el niño, tomó el arpa y echó a correr. Pero el arpa estaba encantada y, al sentirse raptada, empezó a gritar sonoramente: «¡Mi amo, despierte, que me están robando!». Y el gigante despertó muy asustado, continuando los gritos acusadores del arpa encantada.

«¡Amo, me roban!». Rabioso, el ogro corrió a perseguir al niño, quien escuchaba los pasos del gigante; cuando, ya cogido a las ramas empezó a bajar. Pero se angustió aún más, al ver que también el ogro descendía en su busca. Asustado, le gritó a su madre, que abajo lo esperaba: «¡Mamá deme el hacha de papá, que el gigante quiere matarme!». Acudió la madre y el niño, de un certero golpe, cortó el tronco del árbol; estrellándose mortalmente el ogro. Pagaba así su malvada avaricia. Desde entonces, Periquín y su madre vivieron felices con el producto del cofre mágico.

Fin

ACTIVIDAD I:
Los frijolitos mágicos

Comprensión de lectura

1. ¿Quién es el autor?

2. ¿Quién es el protagonista de este cuento?

3. ¿Cuáles son los personajes secundarios?

4. ¿Qué encuentro acontece al inicio del cuento?

5. ¿Qué hecho sorpresivo sucede al día siguiente?

6. ¿A quién vence nuestro protagonista?

Dame tu opinión

7. ¿Qué mensaje nos ofrece el autor?

8. ¿Qué te pareció el cuento que has leído?

El Duendecillo y el estudiante

Hans Christian Andersen

Érase un estudiante pobre que vivía en una buhardilla, y un tendero –dueño de la casa– que tenía como huésped a un duende; al cual en Navidad, le obsequiaba papas con mantequilla.

Llegó el estudiante a comprar queso. Leyó el papel de la envoltura y descubrió –con estupor– que era la hoja de un libro de poesía. «Llevaré el libro y no el queso –dijo el chico–.

Es un crimen. De poesía sabe menos que ese balde».

Al duende le molestó esto. Por la noche, cuando todos dormían, entró el duende y encantó a todos los objetos de la tienda. Tocó al balde y le dijo: «¿No sabes lo que es poesía?».

–Claro que lo sé –respondió el balde–. Es una cosa que ponen en la parte inferior de los periódicos y que la gente recorta.

Todos los demás objetos apoyaron al pobre balde.

–¡Y ahora, al estudiante! –pensó el duende; y subió a la buhardilla. Miró por el ojo de la cerradura y lo vio que estaba leyendo el libro adquirido en la tienda. ¡Qué claridad irradiaba de él! Del libro emergía un vivísimo rayo de luz, que iba transformándose en un poderoso árbol que cobijaba al adolescente.

–¡Asombroso! –se dijo el duende–. ¡Nunca lo hubiera pensado! A lo mejor me quedo a vivir con el estudiante.

–¡Pero él no tiene papas, ni mantequilla! –resolvió.

Pero desde ese día ya no pudo estar en paz. Apenas veía brillar la luz en la buhardilla, subía a mirar por la cerradura; y siempre se sentía rodeado de una luz divina. ¡Qué dicha sería estar junto al estudiante! Quiso quedarse con él, pero al pensar en las papas y la mantequilla decidió a favor del tendero.

Una noche despertó al duendecillo un alboroto horrible.

Había estallado un incendio. La alarma era espantosa. La mujer del tendero estaba tan consternada, que se quitó los aretes de oro y se los guardó en el bolsillo para salvar algo.

El tendero tomó sus billetes; y la criada, su mantilla de seda. El duende corrió, se metió en la habitación del estudiante, cogió el libro y –metiéndoselo en el gorro rojo– lo sujetó con sus manos: el gran tesoro estaba a salvo. Luego subió a la punta de la chimenea y allí estuvo, iluminado por las llamas.

Entonces, reparó dónde tenía su corazón; a quién le pertenecía. Pero cuando el incendio cesó y hubo vuelto a sus cabales, pensó: «No, no puedes irte de aquí: las papas, la mantequilla».

Entonces, fue un auténtico ser humano. Todos procuramos estar bien con el tendero: por las papas y la mantequilla.

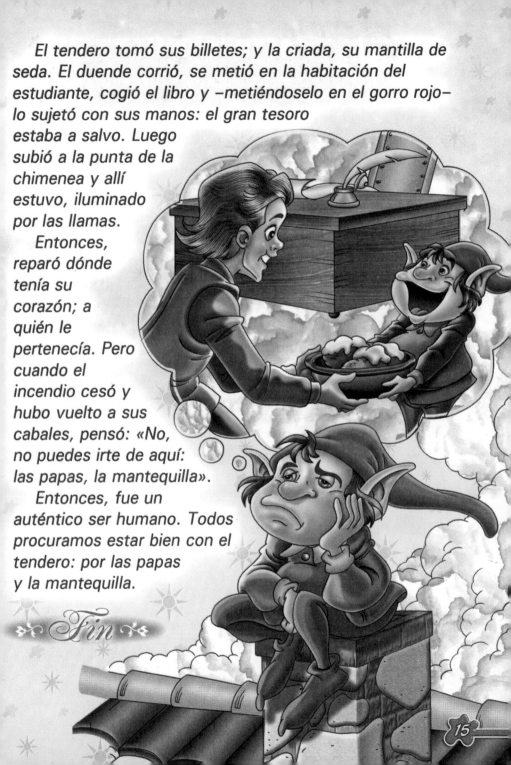

Fin

Comprensión de lectura

1. ¿Quiénes son los personajes principales del cuento?

2. Menciona el nombre del autor.

3. ¿Con quién vivía el duende?

4. ¿Qué cosa encontró el estudiante?

5. ¿Qué regalaba el tendero al duende?

6. ¿Por qué el duende prefirió seguir viviendo con el tendero?

Dame tu opinión

7. ¿Qué opinas de la actitud del duende?

8. ¿Qué piensas de la poesía?

La Princesa y el Frijol

Hans Christian Andersen

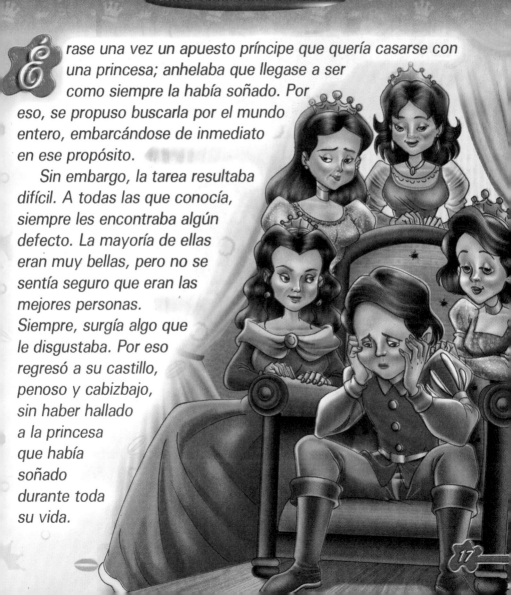

*É*rase una vez un apuesto príncipe que quería casarse con una princesa; anhelaba que llegase a ser como siempre la había soñado. Por eso, se propuso buscarla por el mundo entero, embarcándose de inmediato en ese propósito.

Sin embargo, la tarea resultaba difícil. A todas las que conocía, siempre les encontraba algún defecto. La mayoría de ellas eran muy bellas, pero no se sentía seguro que eran las mejores personas. Siempre, surgía algo que le disgustaba. Por eso regresó a su castillo, penoso y cabizbajo, sin haber hallado a la princesa que había soñado durante toda su vida.

Noches después se desató una brutal tormenta, donde retumbaron rayos y truenos; sobreviniendo una torrencial lluvia. De pronto –en medio del temporal– tocaron extrañamente a la puerta del castillo, siendo la misma reina en acudir al llamado. Allí, en el umbral, permanecía inmóvil una bella princesa.

–¡Santo Dios! –gritó la reina–. ¡Vuestro estado es deplorable!

Por su ropa, cabellos y cuerpo discurría el agua; la que también inundaba sus zapatitos. A pesar de tal condición, ella insistía:

–Excelencia recíbame, pues soy la princesa que soñó su hijo.

La reina sonrió pensando: «Eso ya lo veremos».

Antes de invitarla a pasar a la habitación de huéspedes, la reina quitó toda la ropa de su cama y puso un frijol en la madera; luego colocó veinte colchones sobre él, y encima veinte almohadones con las plumas más delicadas que uno pueda adivinar. Allí iba a dormir esa noche la extraña princesa.

–¿Qué tales sueños? –preguntó al día siguiente la reina.

–¡Fue una tortura! –sollozó la linda princesa–. No pude cerrar los ojos. ¡Era insoportable! ¡No sé lo que me pusieron en la cama! Me acosté sobre algo tan punzante que amanecí con marcas y moretones por todo el cuerpo. ¡Dios, qué dolor!

Entonces, bajó el príncipe y al oír esto entendió enseguida que se trataba de una verdadera princesa:

–Si sentiste el pequeño frijol, –dijo– pese a los veinte colchones y almohadones que colocó mi madre, eres la más tierna de las princesas, pues sólo una piel tan delicada sufriría tanto.

Así que llamó a los reyes y ante el pueblo reunido, dijo:

–Ella es la bella princesa con la que siempre había soñado.

Avisen a todas las cortes, pues hoy mismo nos casaremos.

En cuanto al frijol, fue enviado al gran museo, donde sigue exhibiéndose todavía. Y fueron muy, pero muy felices.

Fin

ACTIVIDAD III:
La princesa y el frijol

Comprensión de lectura

1. ¿Con quién soñaba el príncipe?

2. ¿Qué buscaba el príncipe?

3. ¿Quién llegó al castillo durante la tormenta?

4. ¿Qué le dijo la princesa a la reina del castillo?

5. ¿Qué pusieron en la cama de la princesa?

6. ¿Qué le sucedió a la princesa cuando durmió en el castillo?

Dame tu opinión

7. ¿Crees que el frijolito sirvió para identificar a la princesa?

8. ¿Qué piensas de la princesa?

21

El Príncipe Perverso

Hans Christian Andersen

Érase una vez un príncipe perverso, cuya única ambición era conquistar todos los países del mundo y hacer que su nombre inspirase terror. Sus tropas pisoteaban los campos e incendiaban las casas de los labriegos. Ni el demonio hubiera procedido con tanta perversidad. De las ciudades conquistadas se llevaba grandes tesoros, con los que acumuló una gran riqueza. Mandó a construir magníficos palacios, y la gente exclamaba: «¡Qué príncipe más grande!». Pero no pensaban en la miseria que había llevado a otros pueblos, ni oían las lamentaciones de los pueblos de las ciudades calcinadas.

«Aún quiero más, –decía– y no deseo que haya otro poder igual al mío». A todos los derrotó, ordenando que los reyes vencidos fuesen atados a su carroza con cadenas de oro, corriendo detrás de ella a su paso por las calles. Los arrojaba a sus pies, obligándoles a recoger las migajas que él lanzaba.

Luego, dispuso que se erigiese su estatua en las plazas y en los palacios reales. Incluso pretendió tenerla en las iglesias, frente al altar del Señor. Pero los sacerdotes le dijeron:

–Eres grande, pero Dios es más que tú. No oses hacerlo.

–¡Pues bien! –dijo el perverso–. ¡Entonces, venceré a Dios!

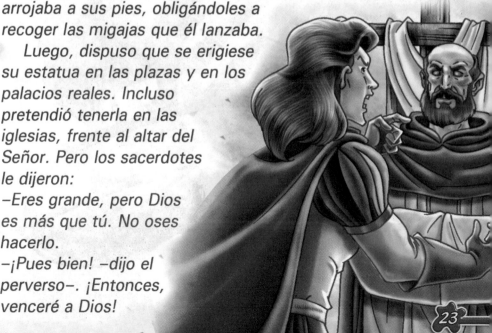

Y en su soberbia y locura construyó un ingenioso barco, capaz de navegar por los aires. Sólo tenía que oprimir un botón y mil balas salían disparadas. Pronto emprendió el vuelo hacia el Sol. Entonces, Dios envió a uno de sus ángeles y el perverso lo recibió con una balacera. Una gota de sangre, una sola, brotó de aquellas blanquísimas alas, yendo a caer en el barco y dejándole una avería que pesó como mil quintales de plomo, y precipitó la nave hacia tierra. Medio muerto yacía el príncipe en el barco, el cual quedó suspendido en los árboles.

–¡Quiero vencer a Dios! –gritaba–. ¡Lo he jurado!

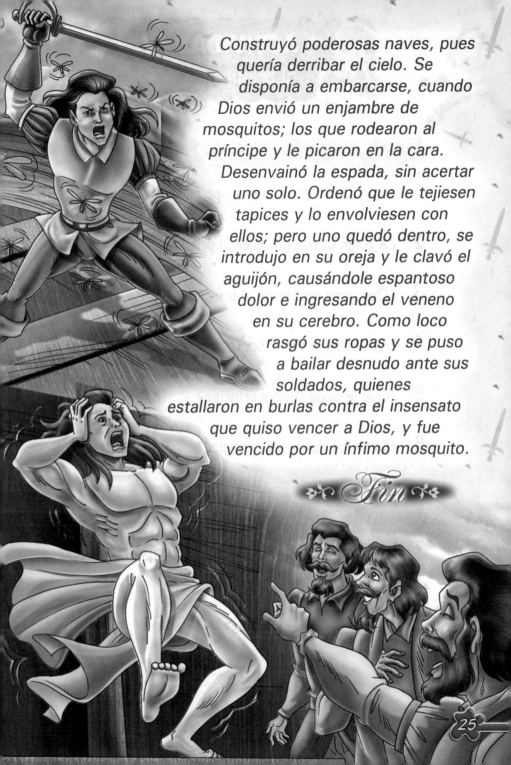

Construyó poderosas naves, pues quería derribar el cielo. Se disponía a embarcarse, cuando Dios envió un enjambre de mosquitos; los que rodearon al príncipe y le picaron en la cara. Desenvainó la espada, sin acertar uno solo. Ordenó que le tejiesen tapices y lo envolviesen con ellos; pero uno quedó dentro, se introdujo en su oreja y le clavó el aguijón, causándole espantoso dolor e ingresando el veneno en su cerebro. Como loco rasgó sus ropas y se puso a bailar desnudo ante sus soldados, quienes estallaron en burlas contra el insensato que quiso vencer a Dios, y fue vencido por un ínfimo mosquito.

Fin

ACTIVIDAD IV:
El príncipe perverso

Comprensión de lectura

1. ¿Qué ambicionaba el príncipe perverso?

2. ¿A quién deseaba vencer el príncipe?

3. ¿Qué arma construyó el príncipe?

4. ¿Qué ocurrió con el barco del príncipe?

5. ¿Qué le envió Dios al príncipe?

6. ¿Cómo fue vencido el príncipe?

Dame tu opinión

7. ¿Es buena o mala la actitud del príncipe?, ¿por qué?

8. ¿Es posible vencer a Dios?, ¿por qué?

El Caracol y el Rosal

Hans Christian Andersen

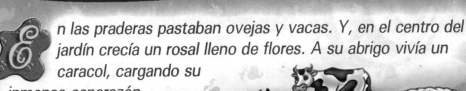

E n las praderas pastaban ovejas y vacas. Y, en el centro del jardín crecía un rosal lleno de flores. A su abrigo vivía un caracol, cargando su inmenso caparazón.

–¡Calma! –decía el caracol–. ¡Ya llegará mi hora!

–Esperamos mucho de ti –dijo el rosal–. Dinos cuándo...

–Me tomo mi tiempo –contestó–; así se preparan las sorpresas.

Al año, el caracol tomaba sol allí mismo, y el rosal echaba capullos y mantenía la lozanía de sus rosas.

–¡Nada cambió! –dijo el caracol–. No ha habido el más ínfimo progreso. Tú sigue con tus rosas, eso es todo lo que sabes hacer.

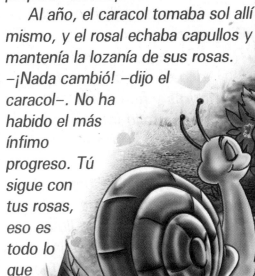

Pasó el verano, vino el otoño y el rosal siguió dando capullos y rosas hasta el invierno, cuando nevó en el prado. El rosal se inclinó y el caracol se cobijó, enterrándose. Meses después, con la primavera, las rosas salieron y el caracol también.

—Ya eres un rosal viejo —dijo el caracol—. Pronto morirás y no hiciste nada por tu desarrollo interno, ¡no distes otros frutos!

—Me asustas —dijo el rosal—. Nunca lo pensé. Florecía de contento, ¡no podía evitarlo! Bebía del rocío y de la lluvia generosa; respiraba, ¡vivía! De la tierra y el cielo ganaba la fuerza. Sentía una dicha renovada. ¡No podía hacer otra cosa!

–Tu vida fue demasiado fácil –dijo el caracol.

–Cierto –dijo el rosal–.

Pero tú tuviste más suerte aún. Eres un ser de gran inteligencia, que podría asombrar al mundo.

Es cierto que no te he dado sino rosas; pero tú, en cambio, que posees tantos dones, ¿qué le has dado al mundo?

–¿Darle yo al mundo? Anda, sigue cultivando tus rosas; deja que los castaños produzcan sus frutos, deja que las vacas y las ovejas den su leche; cada uno tiene su público, y yo tengo el mío dentro de mí mismo. El mundo no me interesa.

Y el caracol se metió dentro de su casa y la selló.

–¡Qué pena! –dijo el rosal–. Yo no puedo esconderme. Cierta vez vi cómo una madre guardaba una de mis rosas en su oratorio, y cómo una joven se prendía otra en el pecho, y cómo un niño besaba otra con emoción. Eso me alegró, ¡fue una bendición!

Y pasaron los años. El caracol se había vuelto polvo, y el rosal igual; y la memorable rosa del oratorio desapareció. Pero, en el jardín brotaban los rosales nuevos, y los nuevos caracoles se arrastraban dentro de sus casas y escupían al mundo.

¿Empezamos otra vez nuestra historia desde el principio? No vale la pena... siempre sería la misma.

Fin

ACTIVIDAD V:
El caracol y el rosal

1. ¿Dónde vivían el caracol y el rosal?

2. ¿A qué se dedicaba el rosal?

3. ¿Qué hacía el caracol durante el año?

4. ¿Por qué se asusta el rosal?

5. ¿Qué le pregunta el rosal al caracol?

6. ¿De qué se alegró el rosal?

Dame tu opinión

7. ¿Cuál de los dos personajes te gustaría ser?, ¿por qué?

8. ¿Qué dones posees como ser humano?

El Lobo y los 7 Cabritos

Los hermanos Grimm

abía una vez, una cabra que tenía 7 cabritos. Un día debía ir al bosque a buscar comida. Llamó a sus hijos y les dijo:

–Hijitos voy a ir al bosque; tengan cuidado con el lobo, porque si entrara se los comería a todos. A veces se disfraza, pero es conocido por su voz ronca y por sus negras pezuñas.

–Mamá –dijo el mayor– ve tranquila, porque nos cuidaremos.

Y la madre emprendió el camino hacia el bosque. No había pasado mucho tiempo, cuando alguien llamó a la puerta diciendo:

–¡Abrid, hijitos, que ha llegado mamá y les ha traído comida!

–Tú no eres mamita, ella tiene la voz dulce. Tú eres el lobo.

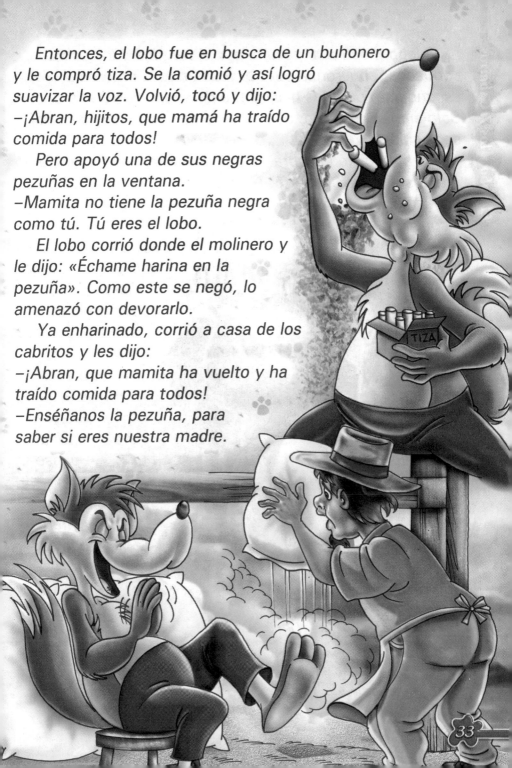

Entonces, el lobo fue en busca de un buhonero y le compró tiza. Se la comió y así logró suavizar la voz. Volvió, tocó y dijo:
—¡Abran, hijitos, que mamá ha traído comida para todos!

Pero apoyó una de sus negras pezuñas en la ventana.
—Mamita no tiene la pezuña negra como tú. Tú eres el lobo.

El lobo corrió donde el molinero y le dijo: «Échame harina en la pezuña». Como este se negó, lo amenazó con devorarlo.

Ya enharinado, corrió a casa de los cabritos y les dijo:
—¡Abran, que mamita ha vuelto y ha traído comida para todos!
—Enséñanos la pezuña, para saber si eres nuestra madre.

El lobo mostró su pezuña por la ventana y los cabritos, confiados, abrieron la puerta. ¡Fue atroz! Corrieron a esconderse; pero los halló y fue devorándolos uno a uno. Sólo el más pequeño, que se escondió en la caja del reloj, consiguió salvarse.

Al rato volvió la cabra. ¡Qué escena tan dolorosa! Llamó a todos y nadie contestó. Gracias a Dios, pudo oír al más pequeño: «Mamá, estoy aquí». Le contó todo y ella lloró inconsolablemente.

Salieron de la casa y al llegar al bosque, hallaron al lobo dormido junto a un árbol. Lo miró y vio que su vientre se movía y pateaba: «¡Dios! –pensó–, ¿mis hijitos vivirán todavía?».

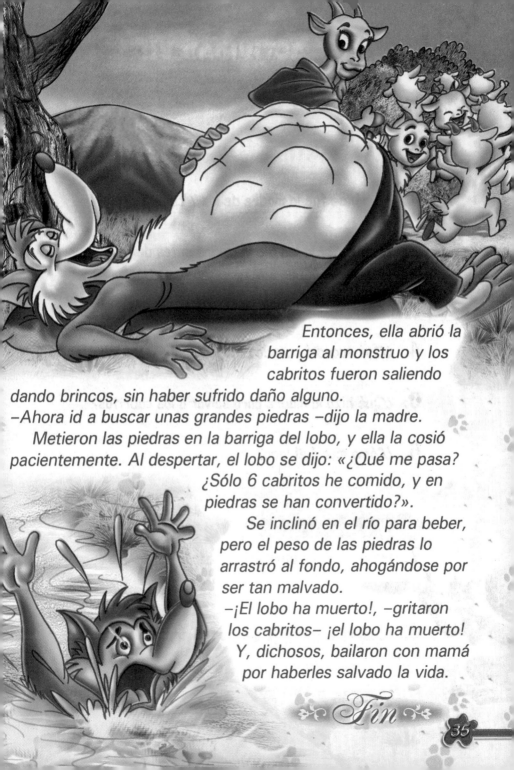

Entonces, ella abrió la barriga al monstruo y los cabritos fueron saliendo dando brincos, sin haber sufrido daño alguno.

−Ahora id a buscar unas grandes piedras −dijo la madre.

Metieron las piedras en la barriga del lobo, y ella la cosió pacientemente. Al despertar, el lobo se dijo: «¿Qué me pasa? ¿Sólo 6 cabritos he comido, y en piedras se han convertido?».

Se inclinó en el río para beber, pero el peso de las piedras lo arrastró al fondo, ahogándose por ser tan malvado.

−¡El lobo ha muerto!, −gritaron los cabritos− ¡el lobo ha muerto!

Y, dichosos, bailaron con mamá por haberles salvado la vida.

Fin

ACTIVIDAD VI:
El lobo y los 7 cabritos

Comprensión de lectura

1. ¿A dónde fue la madre de los 7 cabritos?

2. ¿Qué consejo les dio la madre antes de irse?

3. ¿Cómo reconocerían los cabritos al lobo?

4. ¿Qué sucedió cuando el lobo engañó a los cabritos?

5. ¿Qué hizo la madre para salvar a los cabritos?

6. ¿Cómo murió el lobo?

Dame tu opinión

7. ¿Crees que es bueno obedecer a la madre?, ¿por qué?

8. ¿Cuál es el mensaje que nos quiere dar el cuento?

Hansel y Gretel

LOS HERMANOS GRIMM

 os hermanos Hansel y Gretel vivían con su padre, un humilde leñador, y su cruel madrastra muy cerca del bosque. Eran tan pobres, que ya no tenían alimentos para sobrevivir.

Una noche, creyendo que los niños estaban dormidos:

–No hay comida, –dijo la madrastra– por eso mañana llevaremos a los niños al fondo del bosque y allí los abandonaremos.

El pobre padre se opuso tajantemente; pero la mujer no descansó hasta convencerlo de su macabro proyecto. Mientras tanto los niños, que en realidad no dormían, escucharon la terrible amenaza. Gretel lloraba y Hansel la consolaba.

A la mañana siguiente, la mujer le dio un pedazo de pan a cada niño. Luego, los acompañaron a internarse en el bosque, procurando que se queden atrás. Hansel fue dejando caer las migas de su pan, como huellas, para no perderse en el camino.

En una zona agreste, la mujer ordenó que allí esperaran, pues volverían por ellos. Pero ya de noche, al ver que no llegaban, los niños trataron de volver. Para su desdicha, las aves se habían comido las migas. Y deambularon, sintiendo la mirada acosadora de las fieras. Al amanecer, temerosos y hambrientos, vieron un pájaro blanco que los invitaba a seguir el camino.

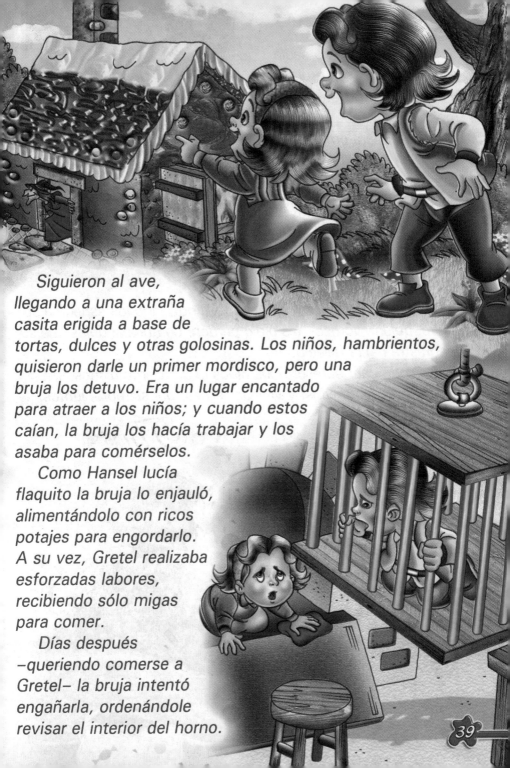

Siguieron al ave, llegando a una extraña casita erigida a base de tortas, dulces y otras golosinas. Los niños, hambrientos, quisieron darle un primer mordisco, pero una bruja los detuvo. Era un lugar encantado para atraer a los niños; y cuando estos caían, la bruja los hacía trabajar y los asaba para comérselos.

Como Hansel lucía flaquito la bruja lo enjauló, alimentándolo con ricos potajes para engordarlo. A su vez, Gretel realizaba esforzadas labores, recibiendo sólo migas para comer.

Días después –queriendo comerse a Gretel– la bruja intentó engañarla, ordenándole revisar el interior del horno.

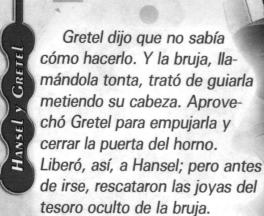

Gretel dijo que no sabía cómo hacerlo. Y la bruja, llamándola tonta, trató de guiarla metiendo su cabeza. Aprovechó Gretel para empujarla y cerrar la puerta del horno. Liberó, así, a Hansel; pero antes de irse, rescataron las joyas del tesoro oculto de la bruja.

Y corrieron hasta la orilla de un inmenso lago. No podían cruzarlo. De pronto, un bello cisne volador les ofreció su ayuda. Al otro lado los esperaba su padre, quien –lloroso– les pidió perdón, comunicándoles que su madrastra había fallecido.

Dejando caer el tesoro, los niños lo abrazaron dichosos. Olvidarían los agravios; y vivirían felices, por siempre, juntos.

✤ *Fin* ✤

ACTIVIDAD VII:
Hansel y Gretel

Comprensión de lectura

1. ¿Con quiénes vivían los hermanos Hansel y Gretel?

2. ¿Qué desea hacer la madrastra con ellos?

3. ¿Dónde fueron abandonados los dos niños?

4. ¿Cómo llegaron donde la bruja?

5. ¿Cómo se liberaron de la bruja?

6. ¿Con quién se encontraron al cruzar el lago?

Dame tu opinión

7. ¿Crees que fue mala la acción de la madrastra?

8. ¿Qué piensas de las madres que abandonan a sus hijos?

El Sastrecillo Valiente

Los Hermanos Grimm

Érase un reino, cuya población ansiaba acabar con un horrible gigante, pues siempre estaba dañando sus cosechas.

Mas, esto no le preocupaba a un joven sastrecillo. Él sólo quería comer su pan con mermelada y acabar con las moscas que no lo dejaban trabajar. Un día, decidido, cogió su palmeta y, ¡zas!, siete moscas cayeron una tras otra. «¡Maté siete de un solo golpe!» –gritó. Y, orgulloso, abrió la ventana repitiéndolo a todo pulmón. Un hombre, que venía pensando en el gigante, creyó que se refería a siete gigantes; corrió a decírselo al rey: «El sastrecillo mató siete gigantes, de un solo golpe».

El rey y su hija, la hermosa princesa, ordenaron que el valiente sastrecillo se acercara inmediatamente a palacio.

–Yo esperaba que el héroe fuera más fortachón –dijo el rey al ver al joven y simpático sastrecillo–. Debes ser muy valiente, para haber matado a siete gigantes de un solo golpe.

–¿Gigantes? –dijo intrigado el sastrecillo, sin poder aclarar el lío, pues en ese mismo momento lo abrazó la linda princesa.

Y se le acercó el rey, para decirle afectuosamente: –Si logras capturar al malvado gigante no sólo te daré tesoros, sino también la mano de mi bella hija, la princesa.

—Su excelencia —dijo el sastrecillo— meditaré su propuesta.

Y se marchó, pensando: «Amo a la princesa, pero, ¿cómo mataría a un gigante?». De pronto, un ruido estremecedor lo obligó a subirse a un árbol de naranjas. ¡Era el gigante y por poco lo pisa! Creyó que allí estaba a salvo, pero el malvado —al verlas tan deliciosas— cogió varias naranjas para comérselas. Entre ellas iba nuestro amiguito. Cuando se quiso esconder, ya estaba en la enorme mano, cara a cara con el gigante.

—¡No te tengo miedo! —le dijo el sastrecillo, tragando saliva, y de inmediato se escondió en la manga de su enorme camisa.

No demoró el
gigante en capturarlo,
llevándolo hasta el almacén de vinos de su gran castillo. Allí, el
sastrecillo le dijo:
–Yo maté a siete de un ¡zas!, ¿tú podrías tomarte todo el vino
de este almacén? –el gigante lo miró, herido en su amor propio.
–¡Tú, vil sabandija, no me humillarás! ¡Claro que puedo hacerlo!
Y el tonto empezó a beber; pero al
tercer tonel cayó al piso, totalmente
borracho. Nuestro amiguito
procedió a encadenarlo, y luego
dio aviso a la corte para
llevarlo a los calabozos. El
sastrecillo fue recibido
jubilosamente, y el rey
procedió a casar a su
bella hija con nuestro
valiente amiguito,...
¡fueron muy felices!

Fin

ACTIVIDAD VIII:
El sastrecillo valiente

1. ¿Qué le gustaba comer al sastrecillo valiente?

2. ¿Por qué fue invitado el sastrecillo al palacio del rey?

3. ¿Qué le ofreció el rey al sastrecillo valiente?

4. ¿Cómo atrapó el gigante al sastrecillo?

5. ¿Cómo se liberó el sastrecillo del gigante?

6. ¿Qué sucedió con el gigante?

Dame tu opinión

7. ¿Te gustó la hazaña del sastrecillo valiente?

8. Si fueras un superhéroe, ¿qué hazaña quisieras hacer?

La *Liebre* y el *Erizo*

Los Hermanos Grimm

ra día domingo. El sol brillaba y la gente iba a oír misa. El amigo erizo se sentía feliz, y mientras su mujer vestía a sus hijos quiso pasear por el huerto y ver cómo iban sus coles. De pronto le salió al paso la liebre, que examinaba sus zanahorias.

El erizo la saludó, pero la liebre le dijo con arrogancia:

–¿De paseo? ¿No podrías usar tus piernas en otra cosa?

Tal comentario indignó al erizo, que no toleraba las burlas sobre sus piernas, pues era patizambo por naturaleza.

–¿Acaso crees –replicó el erizo– que las tuyas son mejores?

–Estoy seguro de eso –dijo la liebre.

–Te apuesto –retó el erizo– a que te gano una carrera.

–¡Con tus piernas torcidas!, –dijo la liebre– ¿qué apostamos?

–Una moneda de oro y una botella de refresco –propuso el erizo–. Pero antes debo ir a casa; volveré en media hora.

«La liebre confía en sus largas piernas –pensó el erizo– pero yo le daré su merecido». Ya en casa, le dijo a su mujer:

–He apostado con la liebre una moneda de oro y una botella de refresco; haremos una carrera y necesito que estés presente.

–¡Tonto! –gritó la mujer del erizo–. ¿Piensas ganarle a una liebre?

–¡Calla mujer! –dijo el erizo–. No te metas en cosas de hombres.

–Óyeme –dijo el erizo a su mujer, camino al gran evento–, en ese sembrío será la carrera. La liebre irá por un surco y yo por el otro. Se inicia desde arriba. Lo único que harás es quedarte aquí abajo y cuando la liebre llegue, le dices: «¡Ya estoy aquí!».

El erizo dejó a su mujer y se fue al punto de inicio. Cada uno se colocó en un surco. La liebre contó tres y salió disparada.

El erizo apenas si se movió. Cuando la liebre llegó abajo como un bólido, la mujer del erizo le gritó: «¡Ya estoy aquí!».

Y la liebre se quedó perpleja. Era el erizo –pensó–, sin saber que el erizo hembra tiene el mismo aspecto que el macho.

–¡A correr otra vez! ¡De vuelta! –gritó la liebre ofuscada.

Y salió como un rayo. La mujer del erizo rió, y cuando la liebre llegó a lo alto, esta vez el erizo le gritó: «¡Ya estoy aquí!».

La liebre enloquecía. Así, corrió 80 veces y siempre veía al erizo primero, arriba o abajo, gritando: «¡Ya estoy aquí!».

Pero en la última vuelta, no pudo más y cayó inerte. El erizo tomó los premios y se fue, feliz, con su mujer a casa.

Desde ese día, ninguna liebre reta a un erizo a una carrera; y así, a nadie –por muy importante que se crea– se le debe ocurrir burlarse de un ser «inferior», así se trate de un erizo.

Fin

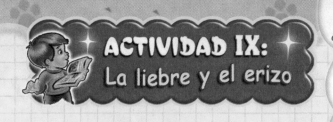

ACTIVIDAD IX:
La liebre y el erizo

Comprensión de lectura

1. ¿Por qué se burlaba la liebre del erizo?

2. ¿Qué apostaron la liebre y el erizo?

3. ¿Qué le contó el erizo a su mujer?

4. ¿Quién ayudó al erizo para ganar a la liebre?

5. ¿Cómo se sentía la liebre cuando perdía?

6. ¿Qué le pasó a la liebre al final de la carrera?

Dame tu opinión

7. ¿Por qué crees que la liebre perdió la carrera?

8. ¿Qué piensas de los que se burlan de los demás?

Rumpelstikin

Los Hermanos Grimm

Érase un pobre molinero que tenía una bellísima hija; pero como era muy presumido, un día le mintió al rey:

—Mi hija, además de hilar, convierte la paja en oro.

Y el rey la invitó a su palacio. Al llegar, la condujo a un cuarto lleno de paja. Le dio una rueca y un carrete, diciéndole:

—Si mañana toda esta paja no es oro, morirás —y se marchó.

La pobre, muy sola, se echó a llorar. De pronto asomó un extraño hombrecito, quien le preguntó la causa de su pesar:

—Tengo que hilar toda esta paja —dijo ella— y convertirla en oro.

Prometió ayudarla, pero si a cambio le daba su collar.

La joven le entregó el collar, y el hombrecito se sentó ante la rueca y no paró hasta convertir toda la paja en oro.

Al día siguiente llegó el rey, y al ver tanto oro enloqueció.

La llevó a una sala más grande, repleta de paja, y le ordenó lo mismo. Al dejarla sola, reapareció el hombrecito.

Esta vez ella le dio su sortija. Y el hombrecito llenó la sala de oro. Pero, al otro día, el rey quiso más. La llevó a un patio lleno de paja. «Si lo llenas de oro –le dijo– serás mi esposa».

Volvió el hombrecito, pero ella ya no tenía nada que darle. «Te ayudaré –dijo– pero me darás a tu hijo cuando seas reina».

Ella pensó que nunca sería madre y, para salir del paso, aceptó la propuesta. El hombrecito, feliz, trabajó nuevamente el oro. Y al ver los resultados, el rey se casó con la molinera.

Un año después nació un bello príncipe. La reina había olvidado al hombrecito. Mas –de pronto– lo vio entrar, reclamando lo prometido. La reina le lloró, ofreciéndole mil riquezas:

–No, –contestó– el niño vale más que cualquier tesoro; pero si adivinas mi nombre te dejaré al niño. Tienes tres días de plazo.

La reina movilizó a toda la corte, y al empezar a mencionarle miles de nombres la respuesta siempre fue negativa.

Al tercer día, ella seguía preguntando: «¿Te llamas Arbilino, Patizueco o Trinoboba?». Y el hombrecito lo negaba rotundamente.

Sintiéndose perdida llegó su ujier, contándole que al subir a una cuesta llegó a una casita, en cuyo interior el hombrecito cantaba:

Hoy tomo vino y mañana cerveza, / después al niño sin falta traerán. / Nunca, se rompan o no la cabeza, / el nombre Rumpelstikin adivinarán.

Y la reina, feliz, se lo gritó al oído: «¡Eres Rumpelstikin!». –¡Te lo dijo la bruja! –gritó el hombrecito y se marchó, furioso, al saber que había trabajado mucho sin lograr su vil objetivo.

Fin

ACTIVIDAD X:
Rumpelstikin

Comprensión de lectura

1. ¿Qué mentira había dicho el molinero al rey?

2. ¿Qué le dice el rey a la hija del molinero al llegar a palacio?

3. ¿Quién ayudó a la hija del molinero en su labor?

4. ¿Qué le prometió la joven al hombrecito que la ayudó?

5. ¿Con quién se casa el rey?

6. ¿Cómo se llamaba el hombrecito que ayudó a la joven?

Dame tu opinión

7. ¿Es bueno ser presumido?, ¿por qué?

8. ¿Es bueno ayudar a los demás?, ¿por qué?

El Rey Cuervo

Los hermanos Grimm

*H*abía un rey que tenía una bellísima hija, pero era tan engreída que no conseguía casarse. Un día, el rey invitó a los nobles solteros de la corte; pero a todos la princesa desdeñó.

–¡Dios! –se burló de uno–, ese tiene mentón de pico de cuervo.

Y lo apodaron «rey cuervo». El rey, molesto, juró casarla con el primer mendigo que pasara por palacio.

Días después, un infeliz se puso a cantar en el portón pidiendo una limosna:

–Cantas tan bien –le dijo el rey– que te casaré con mi hija.

Ella se asustó pero el rey fue enfático, celebrándose la boda a toda prisa. Y el soberano se despidió así de su hija:

–Un mendigo no puede vivir acá, así que sigue a tu esposo.

Se fueron a pie; hasta que ella, cansada, le preguntó:

–¿A quién pertenece este magnífico bosque?

–Al «rey cuervo» –le dijo–. Pudo ser tuyo, pero te burlaste de él.

Y se lamentaba ante tantas riquezas del «rey cuervo».

Llegaron así a su pobre choza. Al otro día, el mendigo le pidió que le preparase algo; pero todo lo hacía torpemente.

–¡No sirves para nada! –le gritó–. Ojalá puedas vender estos frascos de ungüento en el mercado del pueblo.

–¡Dios! –gritó ella–. ¡Si me ven así, se burlarán despiadadamente!

Al inicio le fue bien; pero un borracho casi la atropella con su caballo, cayendo los frascos y quebrándose en mil pedazos.

Llorando, volvió a casa y le contó al esposo lo ocurrido. –¡Inútil! –le gritó–. En el castillo piden una criada, ¡ve allí ahora!

Y tuvo que realizar los más humillantes servicios.

Al día siguiente, presenció una gran fiesta del rey. Ante tanto lujo, maldijo su orgulloso engreimiento. De pronto, entró el famoso «rey cuervo», quien al verla tan bella la invitó a bailar.

Ella se negó avergonzada, evocando su ofensa. Y corrió a la salida, dejando caer los alimentos que llevaba para su esposo.

Y eso, provocó la burla de la gente. Quiso huir, pero alguien la frenó. Al elevar la vista, vio nuevamente al «rey cuervo»:

–No temas, –le dijo tiernamente– el mendigo que te desposó y yo, somos la misma persona. El borracho que quebró tus frascos, también fui yo. Todo lo hice para castigar así tu altanería.

–Muchas quejas debes de tener en mi contra –dijo ella sollozando– y, desde luego, soy muy indigna de ser tu esposa.

–Yo te perdono porque te amo. Ahora, seremos felices.

Le restituyeron sus vestiduras y el rey llegó con su corte para retirar el castigo.

Fin

ACTIVIDAD XI:
El rey cuervo

1. ¿Por qué la princesa no se podía casar?

2. ¿Qué hizo el rey para hacer casar a su hija?

3. ¿De quién se burló la hija del rey?

4. ¿Con quién se casó la princesa?

5. ¿Con quién se encuentra la princesa en la fiesta?

6. ¿Quién era realmente el mendigo?

Dame tu opinión

7. ¿Cuál es el mensaje que nos da el autor?

8. ¿Fue buena la acción del rey cuervo?

Los Hijos de la Virgen

Los hermanos Grimm

Un pobre leñador, con esposa e hija, tuvo una aparición.

–Soy la Virgen María, –le dijo la bella mujer– y sé que eres muy pobre; por eso dame a tu hija, la llevaré al cielo y allí la cuidaré.

El leñador aceptó y la niña fue muy feliz. Vestía de oro, y los ángeles reían con ella. Catorce años después, la Virgen le dijo:

–Niña debo viajar. Te confiaré las doce llaves del cielo; pero te prohíbo usar la número trece. Si lo haces, serás desdichada.

La niña abrió doce puertas, y al llegar a la número trece...

–La abriré –dijo a los ángeles–, pero sólo para curiosear.

Ellos se negaron y ella pensó: «Entraré y nadie lo sabrá».

Usó la llave prohibida y al abrir
la puerta vio un fuego diabólico.
Quiso encender la luz y su dedo
se volvió dorado de por vida. Cerró
la puerta y su corazón casi estalló
de pánico.

Días después, la Virgen llegó de
su viaje y llamó a la niña:
–¿Usaste la llave número trece?
–le preguntó, al ver su dorado
índice, y ella lo negó con
cinismo. Pero la Virgen ya lo
sabía:
–¡No me obedeciste! ¡No eres
digna de estar en el cielo!

Y cayó en un extraño sueño.
Despertó en un desierto. Quiso
gritar, pero no pudo hablar.
Vivió bajo un árbol y se
alimentó de hierbas
resecas. Al evocar el
cielo, lloró lamentándose.

Pasó el tiempo, hasta que el rey de esas tierras halló a la bella joven, que vivía escondida y no hablaba. Así se enamoró, casándose con ella. Al año tuvieron un bebé; y la Virgen llegó al lecho de la reina, para que acepte que usó la llave maldita; pero ella lo negó con la cabeza. En castigo, la Virgen se llevó a su hijo al cielo.

Al saber que el bebé había desaparecido, los funcionarios esparcieron el rumor de que la reina había matado a su propio hijo. Pero el rey, que tanto la amaba, rechazó la infamia.

Un año después, tuvo otro hijo y la Virgen volvió a visitarla:

–Rectifícate y verás al primer bebé, sino perderás al segundo.

Ella siguió negándolo y la Virgen se llevó a su segundo hijo. Entonces, exigieron al rey que la juzgara; pero él lo rechazó.

Luego, tuvieron una niña. De pronto, la reina estuvo en el cielo: allí vio a sus felices bebés. La Virgen la alentó a que confiese, pero ella otra vez mintió. Perdió así a su bella hija.

Ante tanto escándalo, la condenaron a morir en la hoguera. –¡Sí, –confesó la reina en pleno fuego– yo usé la llave maldita!

¡Triunfó la verdad! La reina recobró el habla, una lluvia divina apagó la hoguera y la Virgen descendió con los tres niños.

Los reyes fueron vivados, siendo muy felices desde entonces.

Fin

ACTIVIDAD XII:
Los hijos de la Virgen

Comprensión de lectura

1. ¿Ante quiénes se presentó la Virgen?

2. ¿Qué le propone la Virgen al leñador?

3. ¿Qué le recomienda la Virgen a la niña?

4. ¿Por qué la niña dejó el cielo?

5. ¿Por qué la joven perdía a sus hijos?

6. ¿La joven reconoció la verdad?, ¿por qué?

Dame tu opinión

7. Para ti, ¿qué es la verdad?

8. ¿Qué piensas de las personas que mienten?

El Loro Pelado

Anton Chejov

esde temprano los loros del monte, bulliciosos, iban a comer choclos. Tenían a un loro centinela en el árbol más alto. Abrían los choclos y los picoteaban. Por eso, los peones los cazaban.

Un día, un peón hirió a uno. Ya en casa, sus hijos lo curaron y criaron, llamándole Pedrito. Vivía suelto, se burlaba de las gallinas y, a la hora del té, subía a la mesa a comer pan remojado en leche, pues era su delicia. Aprendió a hablar rápidamente.

Una tarde, después de varios días de lluvias, se puso a volar feliz hasta llegar al río Paraná; donde, de pronto, vio brillar –a través de las ramas– dos luces verdes, como bichos de luz.

Curioso, se acercó hasta identificar al tigre:
–¡Hola, amigo! –dijo el loro–. ¿Quieres rico pan con leche?
Creyó que el loro se burlaba; pero como tenía hambre, el tigre le dijo: «¡Bueno! ¡Pero acércate más, que soy sordo!».

Mentía: quería comérselo. El loro se acercó y el tigre lanzó un zarpazo con las uñas. No lo mató, pero le arrancó las plumas y la cola. Gritó de dolor y voló, pero tropezando y cayéndose.

Por fin, llegó a casa y se miró en el espejo. Era un feísimo loro pelado. Voló, entonces, hasta el hueco de un eucalipto y se escondió en el fondo, tiritando de frío y de vergüenza.

En casa, todos lo extrañaban. Lo llamaban y no respondía. Creyeron, entonces, que había muerto y se echaron a llorar.

Pero él seguía en su escondite, pues las plumas tardaban en crecer. Hasta que un día, todos –a la hora del té– lo vieron entrar, balanceándose como si nada. Rieron y lloraron, alabando la belleza de sus plumas sin saber que eran nuevas.

Luego, Pedrito le contó todo a su amo. Y este, muy molesto, le dijo: «Necesitaba una piel de tigre para la estufa, y qué mejor si la obtengo gratis». Cogió su escopeta y emprendieron la caza. Pedrito debía entretenerlo para que él pudiera cazarlo.

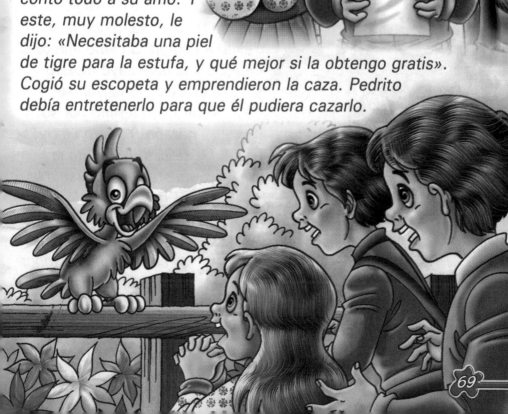

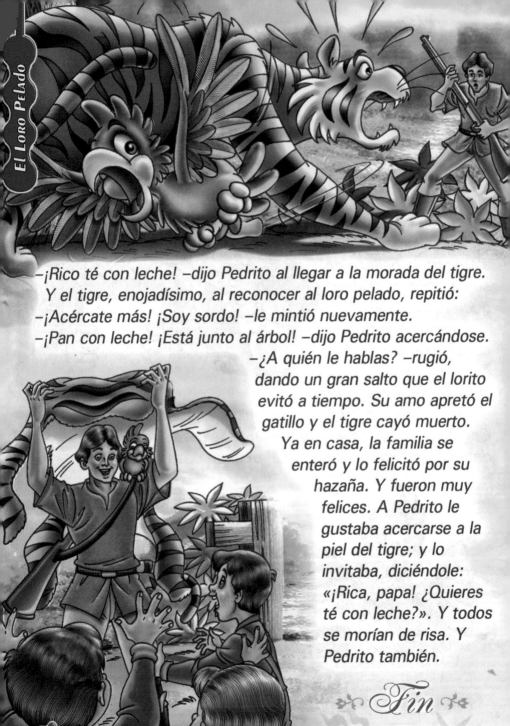

–¡Rico té con leche! –dijo Pedrito al llegar a la morada del tigre.

Y el tigre, enojadísimo, al reconocer al loro pelado, repitió:

–¡Acércate más! ¡Soy sordo! –le mintió nuevamente.

–¡Pan con leche! ¡Está junto al árbol! –dijo Pedrito acercándose.

–¿A quién le hablas? –rugió, dando un gran salto que el lorito evitó a tiempo. Su amo apretó el gatillo y el tigre cayó muerto. Ya en casa, la familia se enteró y lo felicitó por su hazaña. Y fueron muy felices. A Pedrito le gustaba acercarse a la piel del tigre; y lo invitaba, diciéndole: «¡Rica, papa! ¿Quieres té con leche?». Y todos se morían de risa. Y Pedrito también.

Fin

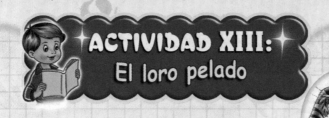

ACTIVIDAD XIII:
El loro pelado

Comprensión de lectura

1. ¿Qué nombre le pusieron al loro pelado?

2. ¿Qué le gustaba comer al loro pelado?

3. ¿Qué le ofreció el loro al tigre?

4. ¿Qué le hizo el tigre al loro?

5. ¿Por qué el loro se escondió?

6. ¿Qué sucedió con el tigre?

Dame tu opinión

7. ¿Te gustaría cazar animales?, ¿por qué?

8. ¿Tienes mascotas en tu casa?, ¿por qué?

71

La Hormiguita Bonita

Fernán Caballero

abía una vez una hormiguita tan linda, tan hacendosa, que era un encanto. Un día que barría la puerta de su casa, se halló una moneda. Pensó: «¿Compraré piñas? No, porque no las podré partir. ¿Caramelos? No, porque son golosinas». Al final, se fue a una tienda donde compró maquillaje; se lavó, se peinó, se aplicó colorete y se sentó a la ventana. Como estaba tan bonita, todo el que pasaba se enamoraba de ella. Pasó un toro y le dijo: «Hormiguita, ¿te quieres casar conmigo?».

–¿Y cómo me enamorarás? –respondió la hormiguita.

El toro rugió y la hormiga se tapó los oídos con sus patitas.

FARMACIA

–Sigue tu camino –le dijo al toro–, que me asustas y me espantas.

Sucedió igual con un perro que ladró, un gato que maulló, un cochino que gruñó y un gallo que cantó. Hasta que pasó el ratón Pérez; la enamoró tan delicadamente, que la hormiguita le dio gustosa su manita. ¡Eran tan felices!

Quiso la mala suerte que un día fuese la hormiguita sola a misa, después de poner la olla. Le advirtió al ratón que no menease la olla con la cuchara chica, sino con el cucharón; pero el ratón Pérez hizo lo contrario y, por su torpeza, se cayó en la olla –como en un pozo– y allí murió ahogado.

73

Al volver la hormiguita a su casa, nadie respondió. Corrió a la morada de una vecina para que la dejase entrar por el tejado, pero esta no quiso; recurrió a un cerrajero y se fue directamente a la cocina, miró la olla y ¡qué dolor!: vio al ratón Pérez ahogado sobre el caldo que hervía. La hormiguita se echó a llorar amargamente. Vino el pájaro, y le dijo:

–Pues yo, pajarito, me corto el piquito.

–¿Por qué, pajarito, –dijo una paloma– te has cortado el pico?

–Porque el ratón Pérez murió, y la hormiguita lo siente y lo llora.

–Pues yo, la paloma, me corto la cola.

–¿Por qué, paloma, te cortaste la cola? –dijo la fuente clara.
–Porque el ratón Pérez se cayó en la olla, y la hormiguita lo siente y lo llora; y el pajarito cortó su piquito; y la paloma se corta la cola; y yo, la fuente clara, me pongo a llorar.
–¿Por qué lloras fuente clara? –dijo la infanta de la cántara.
–Porque el ratón Pérez se ahogó, la hormiguita lo siente y lo llora, el pajarito se cortó el piquito, la paloma se corta la cola; y yo, la fuente clara, me pongo a llorar.
–Pues yo, que soy infanta, romperé mi cántara.
   Y todo, porque el ratón Pérez no acató el buen consejo.

ACTIVIDAD XIV:
La hormiguita bonita

Comprensión de lectura

1. ¿Qué animalitos enamoraban a la hormiguita?

2. ¿Con quién se casó la hormiguita?

3. ¿Qué le aconsejó la hormiguita al ratón?

4. ¿Qué sucedió con el ratón?

5. ¿Quién ayudó a la hormiguita a entrar a casa?

6. ¿Qué animalitos consolaban a la hormiga?

Dame tu opinión

7. Si tú fueses el ratón, ¿obedecerías a la hormiguita?

8. ¿Qué puedes decir de los niños desobedientes?

Los Valores de la Reina

Fernán Caballero

abía una reina tan buena, que guiada por la luz divina brindaba –con sus valores y conocimientos– decoro al trono; y con su ejemplo, una gran lección a sus súbditos.

Estableció la reina un premio para aquel que en el año transcurrido hubiese hecho la más perfecta obra de caridad, teniendo la certeza que así lograría una gran enseñanza.

Al cumplirse el plazo, ya estaba reunida toda la corte en torno a la reina; se acercó uno y dijo que había edificado en su pueblo un gran hospital para los pobres. El corazón de la reina saltó de gozo, y preguntó si el hospital estaba terminado:

–Sí señora –contestó el interrogado–, sólo falta colocar la placa con letras: «Construido el edificio, gracias a fulano de tal».

La reina le agradeció y se presentó otro concursante, quien dijo que había costeado a sus expensas un cementerio en su pueblo, que no tenía. Alegrose la reina, preguntándole si estaba concluido. Le contestó que sí, y que sólo faltaba pintar el mausoleo que edificó para él y su familia.

Enseguida, se presentó una señora. Dijo que había recogido a una pobre niña huérfana, que se moría de hambre, y la había criado dándole el lugar de la hija que nunca tuvo.

–¿Y la tienes contigo? –preguntó la reina.

–Sí, mi reina, –contestó la mujer– es tan buena que cuida la casa y me asiste con esmero; y la quiero tanto, que no consentiré que se case ni se separe de mí mientras viva.

Gozaba la reina esta caridad, cuando la distrajo un barullo: el gentío abría paso a un hermoso niño que arrastraba a una pobre anciana, la cual se esforzaba por zafarse y huir del castillo.

–Quiero –dijo el niño– traer a su majestad a la que ha de merecer el premio que habéis instituido para la mejor obra de caridad.

–¿Y quién es esa persona, hermoso niño? –preguntó la reina.

79

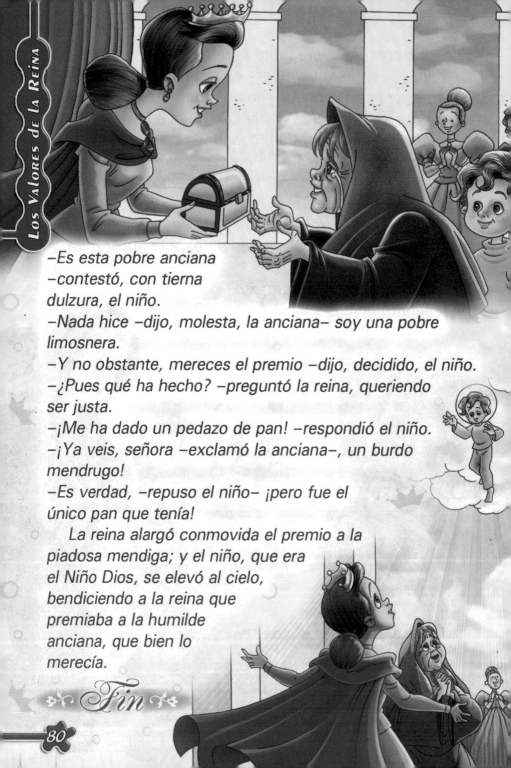

–Es esta pobre anciana
–contestó, con tierna
dulzura, el niño.

–Nada hice –dijo, molesta, la anciana– soy una pobre
limosnera.

–Y no obstante, mereces el premio –dijo, decidido, el niño.

–¿Pues qué ha hecho? –preguntó la reina, queriendo
ser justa.

–¡Me ha dado un pedazo de pan! –respondió el niño.

–¡Ya veis, señora –exclamó la anciana–, un burdo
mendrugo!

–Es verdad, –repuso el niño– ¡pero fue el
único pan que tenía!

La reina alargó conmovida el premio a la
piadosa mendiga; y el niño, que era
el Niño Dios, se elevó al cielo,
bendiciendo a la reina que
premiaba a la humilde
anciana, que bien lo
merecía.

Fin

ACTIVIDAD XV:
Los valores de la reina

Comprensión de lectura

1. ¿Qué hacía la reina cada año?

2. ¿Cuál fue la primera obra de caridad presentada?

3. ¿Con quién llegó el Niño Dios?

4. ¿Quién era la pobre anciana?

5. ¿Qué obra de caridad había hecho la anciana?

6. ¿Adónde fue el Niño Dios?

Dame tu opinión

7. ¿Qué te parece la reina?

8. ¿Crees que la anciana se merecía el premio?

El Niño Héroe

Rabindranath Tagore

Madre, figúrate que vamos de viaje; que atravesamos un país extraño y peligroso. Yo monto un caballo rubio al lado de tu calesa. El sol se pone; anochece. El desierto de ese misterioso campo, gris y desolado, se extiende ante nosotros.

El miedo se apodera de ti, y piensas: «¿Dónde estamos?».

Pero yo, mostrándome seguro, te digo:

–No temas madre.

La tierra está erizada de cardos y la cruza un estrecho
sendero. Todos los rebaños han vuelto ya a los establos de los
pueblos, y en la vasta extensión no se ve ningún ser viviente.

La oscuridad crece, el campo y el cielo se borran y ya no
podemos distinguir nuestro camino. De pronto, me llamas y me
dices al oído: «¿Qué es aquella luz, allí, junto a la orilla?».

Se oye, entonces, un terrible alarido y las sombras se
acercan corriendo hacia nosotros. Tú te acurrucas en tu calesa
e invocas a los dioses. Los caminantes, temblando de espanto,
se esconden en las zarzas. Pero yo te grito:
–¡No tengas miedo, madre, que yo estoy aquí!

Armados con largos bastones, los cabellos al viento, los
bandidos se acercan. Yo les advierto:

–¡Deténganse malvados! ¡Un paso más y estarán muertos!

Sus alaridos arrecian y se lanzan sobre nosotros. Tú coges mis manos y me dices: «¡Hijo mío, te lo suplico, escapa de ellos!». Y yo contesto: «Madre vas a ver lo que hago».

Entonces, espoleo a mi caballo y lo lanzo al galope.

Mi espada y mi escudo entrechocan ruidosamente. La lucha es tan terrible, madre, que morirías de terror si pudieras verla desde tu calesa.

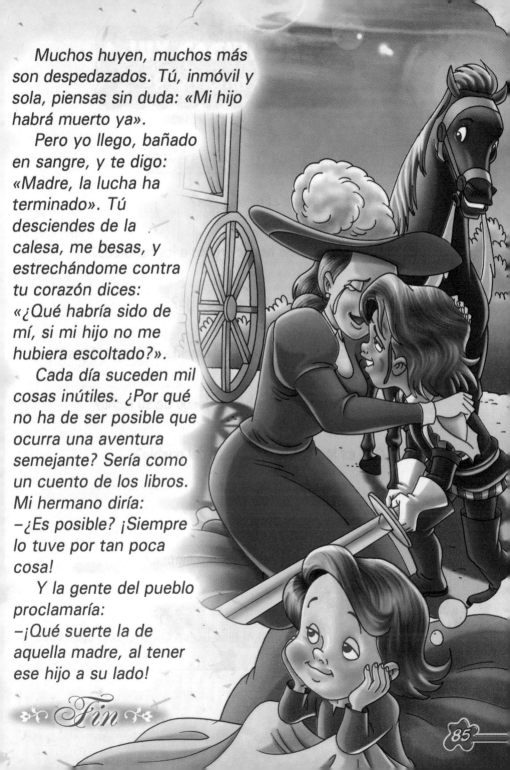

Muchos huyen, muchos más son despedazados. Tú, inmóvil y sola, piensas sin duda: «Mi hijo habrá muerto ya».

Pero yo llego, bañado en sangre, y te digo: «Madre, la lucha ha terminado». Tú desciendes de la calesa, me besas, y estrechándome contra tu corazón dices: «¿Qué habría sido de mí, si mi hijo no me hubiera escoltado?».

Cada día suceden mil cosas inútiles. ¿Por qué no ha de ser posible que ocurra una aventura semejante? Sería como un cuento de los libros. Mi hermano diría:
—¿Es posible? ¡Siempre lo tuve por tan poca cosa!

Y la gente del pueblo proclamaría:
—¡Qué suerte la de aquella madre, al tener ese hijo a su lado!

Fin

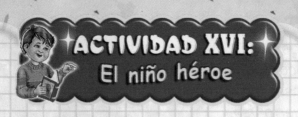

ACTIVIDAD XVI:
El niño héroe

1. ¿A quién protege el niño héroe?

2. ¿Qué hace el niño héroe frente a los bandidos?

3. ¿Qué le suplica la madre a su hijo?

4. ¿Qué hace la madre al oír el alarido de las sombras?

5. ¿Quién recibe al niño héroe, luego de su lucha?

6. ¿Cuál es la proclama jubilosa del pueblo?

Dame tu opinión

7. ¿Qué piensas del amor de una madre?

8. ¿Te gustaría ser como el niño héroe del cuento?, ¿por qué?

El Jorobado de Notre Dame

Victor Hugo

ra una inocente criatura a quien Dios le concedió la vida, pero cuyos irresponsables padres despreciaron por el único hecho de tener un defecto físico: era jorobadito. Lo dejaron abandonado en el portón de la iglesia de Notre Dame (de París), justo donde el prior del convento lo halló, cuando apenas tenía pocos días de nacido. «¡Virgen María! –exclamó–, ¡quién ha osado abandonar a este hijo de Dios!». Lo atendió de inmediato y sólo después reparó en la malformación que llevaba consigo.

Luego, trataría de entregarlo a una buena familia; pero todos, ricos y pobres, lo rechazaban al ver su desigual apariencia.

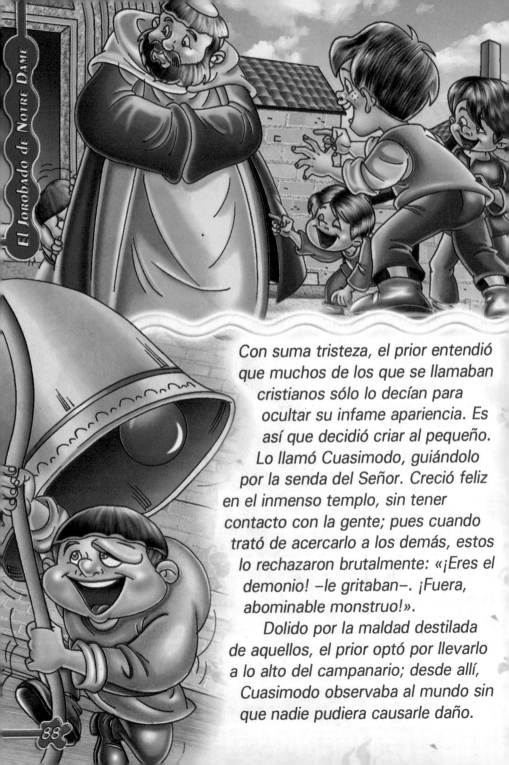

Con suma tristeza, el prior entendió que muchos de los que se llamaban cristianos sólo lo decían para ocultar su infame apariencia. Es así que decidió criar al pequeño. Lo llamó Cuasimodo, guiándolo por la senda del Señor. Creció feliz en el inmenso templo, sin tener contacto con la gente; pues cuando trató de acercarlo a los demás, estos lo rechazaron brutalmente: «¡Eres el demonio! –le gritaban–. ¡Fuera, abominable monstruo!».

Dolido por la maldad destilada de aquellos, el prior optó por llevarlo a lo alto del campanario; desde allí, Cuasimodo observaba al mundo sin que nadie pudiera causarle daño.

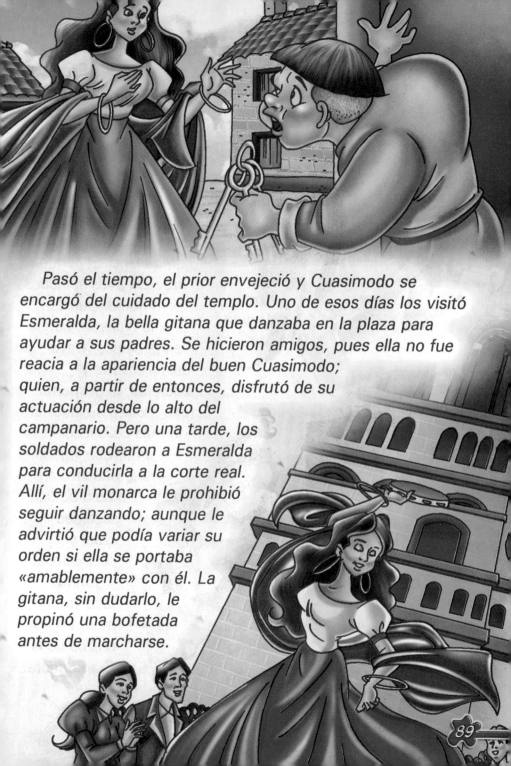

Pasó el tiempo, el prior envejeció y Cuasimodo se encargó del cuidado del templo. Uno de esos días los visitó Esmeralda, la bella gitana que danzaba en la plaza para ayudar a sus padres. Se hicieron amigos, pues ella no fue reacia a la apariencia del buen Cuasimodo; quien, a partir de entonces, disfrutó de su actuación desde lo alto del campanario. Pero una tarde, los soldados rodearon a Esmeralda para conducirla a la corte real. Allí, el vil monarca le prohibió seguir danzando; aunque le advirtió que podía variar su orden si ella se portaba «amablemente» con él. La gitana, sin dudarlo, le propinó una bofetada antes de marcharse.

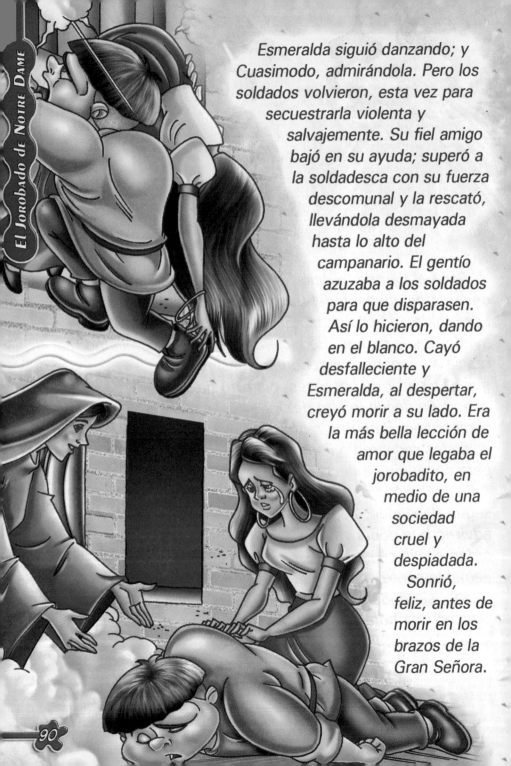

Esmeralda siguió danzando; y Cuasimodo, admirándola. Pero los soldados volvieron, esta vez para secuestrarla violenta y salvajemente. Su fiel amigo bajó en su ayuda; superó a la soldadesca con su fuerza descomunal y la rescató, llevándola desmayada hasta lo alto del campanario. El gentío azuzaba a los soldados para que disparasen. Así lo hicieron, dando en el blanco. Cayó desfalleciente y Esmeralda, al despertar, creyó morir a su lado. Era la más bella lección de amor que legaba el jorobadito, en medio de una sociedad cruel y despiadada. Sonrió, feliz, antes de morir en los brazos de la Gran Señora.

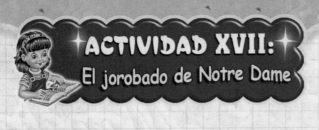

ACTIVIDAD XVII:
El jorobado de Notre Dame

Comprensión de lectura

1. ¿Dónde fue encontrado el jorobado recién nacido?

2. ¿Quién se encargó de su crianza?

3. ¿Qué nombre recibió el jorobado?

4. ¿Por qué la gente rechazaba al jorobado?

5. ¿Quién era Esmeralda?

6. ¿Quién rescató a Esmeralda?

Dame tu opinión

7. ¿Qué lección puedes sacar del cuento?

8. ¿Crees que la gente era buena con el jorobado?

El Príncipe y el Mendigo

Mark Twain

om Canty era un niño muy humilde, pero honrado.

Ayudaba a sus padres trabajando en mil oficios, en el centro de Londres. Tenía apenas 14 años y nunca había conocido juguetes para alegrar sus días. El príncipe de Gales, Eduardo Tudor —hijo del rey Enrique VIII y heredero de la corona de Inglaterra— tenía la misma edad y no era más feliz que Tom; pese a estar rodeado de los juguetes más caros del mundo.

Una tarde, en su caminar cotidiano, Tom llegó hasta las rejas del castillo. Admiraba sus interiores y a la guardia real que, como los soldaditos de plomo, realizaba su desfile vespertino.

De pronto, un escolta lo trató groseramente: «¡Vete de aquí, truhán, que estás dando mal aspecto!». Tom bajó la cabeza y ya se iba, cuando una voz lo detuvo: «¡No, niño, no te vayas, te invito a pasar a mi castillo!». El escolta lo miró furioso, pero tuvo que obedecer al príncipe de Gales. Jugaron toda la tarde; pero cuando oscureció, Tom le dijo que debía marcharse. El príncipe entristeció. Veía tan feliz a su amigo, pese a su pobreza, que no dudó en decirle que lo envidiaba. De pronto, el rostro de Eduardo se iluminó: «¡Cambiemos de personalidad por unos días, somos tan parecidos que nadie lo notará!, ¿qué dices?».

A Tom le pareció un absurdo, pero le atrajo la travesura. Cambiaron de ropaje y el príncipe salió del castillo en medio de la noche. Fueron días felices. Tom devoraba toda su comida, alegrándose mucho el rey, acostumbrado a ver «a su hijo» flaco, desganado y casi siempre enfermizo. Leía mucho, llegando a dar consejos de guerra a su padre, con resultados victoriosos. Eduardo, por su parte, aprendió a trabajar y a valorar el esfuerzo de la gente. Pero una tarde descubrieron a Tom; el rey enfermó gravemente y sus enemigos decidieron tomar el poder si el verdadero príncipe no aparecía hasta determinada hora.

El escolta tomó prisionero a Tom, amenazando con matarlo si no aparecía el príncipe. La noticia llegó a Eduardo, quien avisó a la familia de su amigo que él era el verdadero príncipe, pero no le creyeron. Tom pudo liberarse de sus cadenas, logrando evitar que proclamasen al nuevo rey; pero lo atraparon de nuevo y cuando ya iban a coronar al vil traidor, Eduardo –que había convencido a los humildes– ingresó al castillo con un ejército de campesinos, evitando la traición y arrestando a los culpables.

Coronaron así al verdadero príncipe, quien ya como rey nombró a Tom Canty caballero ilustre, y fueron muy felices.

Fin

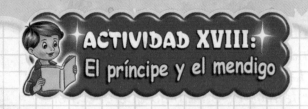

ACTIVIDAD XVIII:
El príncipe y el mendigo

Comprensión de lectura

1. ¿Quién era Tom Canty?

2. ¿Qué admira Tom al pasar por el castillo?

3. ¿Quién invitó a Tom a jugar en el castillo?

4. ¿En qué consistió la travesura de Tom y de Eduardo?

5. ¿Cómo se portaba Tom en el castillo?

6. ¿Qué sucedió cuando Eduardo fue nombrado rey?

Dame tu opinión

7. ¿Crees que la felicidad está en la riqueza?, ¿por qué?

8. ¿Con cuál de los dos niños simpatizas más?

Arturo y el mago Merlín

Geoffrey de Monmuth

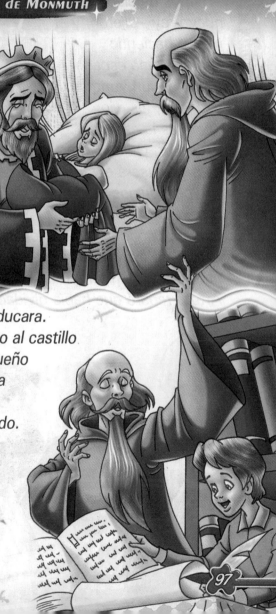

En un reino llamado Britania, sumido en el caos, –hace varios siglos– nació el príncipe Arturo, hijo del rey Uther. Su reina madre había muerto poco después del parto; por eso, el rey entregó el bebé al fiel mago Merlín, con el fin que lo educara.

Merlín optó por llevar a Arturo al castillo de un hidalgo, que tenía un pequeño hijo llamado Kay. Para cautelar la seguridad del príncipe, el mago ocultó la identidad de su protegido.

Cada día, el leal Merlín enseñaba al pequeño Arturo todas las ciencias y, con sus dotes de gran mago, le explicaba los inventos del futuro y muchas fórmulas mágicas más.

Pasaron los años y el rey Uther murió sin dejar descendencia conocida. Los hidalgos fueron en busca de Merlín:

–Hemos de elegir al nuevo rey –dijeron; y el mago, haciendo aparecer una espada clavada a un yunque de hierro, les dijo:

–Esta es la espada Excalibur. Quien logre sacarla... ¡será el rey!

Los hidalgos probaron pero, a pesar de todo su empeño, no lograron moverla. Arturo y Kay, que eran ya dos vigorosos mozos, iban a participar en un torneo de la ciudad. Al acudir al evento, Arturo reparó que había olvidado la espada de Kay en la posada. Corrió allí, pero el local ya estaba cerrado.

Arturo se desesperó. Sin su espada, Kay estaría eliminado del torneo. Descubrió así la espada Excalibur. Tiró de ella y un rayo de luz cayó sobre él, extrayéndola con toda facilidad.

Kay vio el sello de la Excalibur y se lo contó a su padre, quien ordenó a Arturo que la devolviera.

Los nobles intentaron sacarla de nuevo, pero fue inútil. Arturo tomó la empuñadura, volvió a caer un rayo de luz, y la extrajo sin el menor esfuerzo.

Todos admitieron que aquel joven, sin título alguno, debía ser el rey de Britania; y desfilaron ante él, jurándole fidelidad. Merlín, feliz y humilde por su accionar, se retiró a su morada.

Pero no pasó mucho tiempo cuando un grupo de traidores se levantaron en armas contra el joven monarca. Merlín intervino, confesando que Arturo era el único hijo del rey Uther; pero los desleales siguieron en guerra hasta que, al fin, fueron derrotados, gracias al valor de Arturo y a la magia de Merlín.

Para evitar que la traición se repitiera, Arturo creó la gran Mesa Redonda, integrada por los hidalgos leales al reino. Se casó con la princesa Ginebra, viviendo años de dicha y prosperidad.

–Ya puedes reinar sin mis consejos, –le dijo Merlín en su despedida– y sigue siendo un rey justo, que la Historia te premiará.

Fin

ACTIVIDAD XIX:
Arturo y el mago Merlín

Comprensión de lectura

1. ¿Dónde nació el príncipe Arturo?

2. ¿Quién crió al príncipe?

3. ¿Cómo identificaron a Arturo como el rey?

4. ¿Quién creó la Mesa Redonda?

5. ¿Con quién se casó el rey Arturo?

6. ¿Qué le aconseja Merlín al rey Arturo?

Dame tu opinión

7. ¿Qué piensas de la actuación del mago Merlín?

8. ¿Crees que la vida premia a las personas buenas?

La Palomita y Dios

CUENTO NICARAGÜENSE

A una palomita se le quebró la patita y un ángel del cielo le puso otra de cera; pero, cuando se apoyó sobre una piedra recalentada por el sol, a la palomita se le derritió la patita.

–Piedra, ¿tan valiente eres que derrites mi patita? –protestó.

Y la piedra respondió:

–Más valiente es el sol que me calienta a mí.

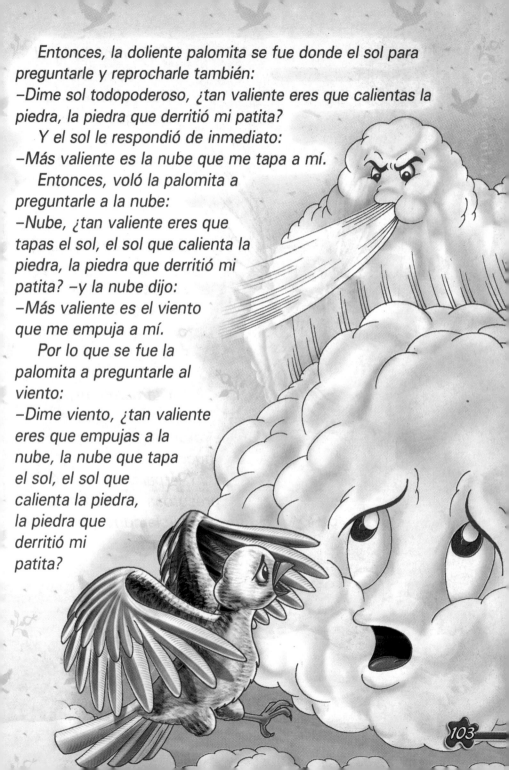

Entonces, la doliente palomita se fue donde el sol para preguntarle y reprocharle también:
—Dime sol todopoderoso, ¿tan valiente eres que calientas la piedra, la piedra que derritió mi patita?
Y el sol le respondió de inmediato:
—Más valiente es la nube que me tapa a mí.
Entonces, voló la palomita a preguntarle a la nube:
—Nube, ¿tan valiente eres que tapas el sol, el sol que calienta la piedra, la piedra que derritió mi patita? —y la nube dijo:
—Más valiente es el viento que me empuja a mí.
Por lo que se fue la palomita a preguntarle al viento:
—Dime viento, ¿tan valiente eres que empujas a la nube, la nube que tapa el sol, el sol que calienta la piedra, la piedra que derritió mi patita?

La Palomita y Dios

Y, de inmediato, el viento respondió:

—Más valiente es la pared que se resiste a mi fuerza.

Entonces, la palomita le preguntó a la pared:

—Pared, ¿tan valiente eres que resistes al viento, al viento que empuja la nube, la nube que tapa el sol, el sol que calienta la piedra, la piedra que derritió mi patita?

Y la pared respondió:

—Más valiente es el ratón que me hace huecos a mí.

Y la palomita buscó presurosa al ratón para hacerle la correspondiente pregunta.

El ratón
respondió
que era más
valiente el
gato, porque
se lo comía a
él; el gato, que
era más valiente el
perro, que lo hacía
huir; el perro, que era
más valiente el hombre,
que lo sometía a su
dominio; y el hombre
dijo que el más valiente
era Dios, que dominaba a todas las criaturas del universo.

Y cuando esto oyó la palomita, se fue a buscar a Dios
para alabarlo y bendecirlo; y Dios, que ama a todas sus
criaturas, –hasta a la más chiquita– acarició a la palomita; y
con sólo quererlo le puso una patita nueva con huesecito,
pellejito, uñitas y todo. Y colorín colorado, el cuento se ha
acabado.

Fin

ACTIVIDAD XX:
La palomita y Dios

Comprensión de lectura

1. ¿Cómo le ayudó el ángel a la palomita?

2. ¿Qué le ocurrió a la palomita al apoyarse en la piedra?

3. ¿Qué le dijo la piedra a la palomita?

4. ¿Qué le dijo el perro a la palomita?

5. ¿Qué le dijo el hombre a la palomita?

6. ¿Cómo Dios premió a la palomita?

Dame tu opinión

7. ¿Puedes comunicarte con Dios?, ¿de qué forma?

8. ¿Crees que Dios ama a todas sus criaturas?, ¿por qué?

Federiquillo, el Mentirosillo

CUENTO SUIZO

Federico era un hermoso niño; pero toda la gente de la aldea lo llamaba Federiquillo, el mentirosillo. Cuando por la noche veía volar un murciélago, gritaba escandalizado:

–¡He visto volar un dragón en persona!

Y, cuando después de jugar un buen rato en el jardín de su abuela, afirmaba –grave y firmemente– que había arrancado, durante horas enteras, las peores malezas de la tierra.

–Federiquillo, ¡di la verdad! –lo reprendía su madre y, a su vez, Federiquillo gritaba indignado:

–¡Mamá, esta es la pura verdad!

107

–Es y seguirá siendo Federiquillo, el mentirosillo –decía enojado su padre; y recurría de vez en cuando al severo castigo.

Un día, apareció hecho trizas el tazón preferido del padre:

–Federiquillo, ¿qué has hecho? –gritó su madre.

–Nada –mintió el niño–. Estaba en la cocina cuando vi cómo la mesa empezaba a moverse. Todos los tazones saltaron y el de papá, más alto que ninguno. De pronto empezó a dar círculos, resbaló, cayó y se rompió. ¡Lo he visto con mis propios ojos!

–¡Mientes! Y lo más triste es que tú mismo crees tus mentiras. ¡Ojalá se te erizaran los cabellos cuando no digas la verdad!

–¡Yo no miento nunca! –gritó Federiquillo, y se puso a patalear.

Entonces, sintió sobre su cabeza un raro cosquilleo; y percibió un rumor en sus oídos, como cuando el gato ronronea. Se llevó las manos a los cabellos. ¡Se habían rizado! Obstinado, se dirigió al cuarto de su madre, cogió las tijeras y quiso cortarse los cabellos. Pero no pudo: eran tan fuertes como alambres.

–¡Madre, yo he sido quien ha roto el tazón! –gritó horrorizado.

Al momento, se normalizaron sus cabellos y se le enrollaron en suaves rizos, recuperando su belleza. Y así sucedió desde entonces: si mentía, se le erizaban los cabellos ferozmente.

¡MENTIROSO...! JA JA JA JA

Y cuando después decía la verdad, volvían a la normalidad.

Pero si esto sucedía en la escuela, tenía el inconveniente de que se burlaba de él toda la clase, puesto que le gritaban:

–¡Federiquillo, el mentirosillo! ¡Federiquillo, el mentirosillo!

Gracias a ello, Federico perdió la costumbre de mentir. Y sus padres se sintieron felices. Su madre le regaló un libro de cuentos; y su padre, una ejemplar historia de ladrones. Esta dio mucho que pensar al niño. Los ladrones de la historia negaban cuanto se les antojaba. Pero, al final, recibían muy severos castigos; y después ya no podían decir ninguna palabra más.

Fin

ACTIVIDAD XXI:
Federiquillo, el mentirosillo

Comprensión de lectura

1. ¿Por qué los padres de Federico estaban disgustados con él?

2. ¿Qué mentira había dicho Federico en la cocina?

3. ¿Qué le sucedió a Federico, luego de mentir a su padre?

4. ¿Qué le ocurría a Federico cuando mentía?

5. ¿Qué le ocurría a Federico cuando decía la verdad?

6. ¿Qué le obsequiaron sus padres a Federico?

Dame tu opinión

7. ¿Qué lección puedes sacar del cuento?

8. ¿Qué piensas de las personas que mienten?

Simbad el Marino

De Las mil y una noches

ace muchos años, en Bagdad, Simbad era un joven muy pobre, que para sobrevivir trasladaba pesados fardos; por lo que le decían «el cargador», lamentándose de su suerte.

Sus quejas fueron oídas por un millonario, quien lo invitó a compartir una cena. Allí estaba un anciano, que dijo lo siguiente:
—Soy Simbad, el marino. Mi padre me legó una fortuna, pero la derroché; quedando en la miseria. Vendí mis trastos y navegué con unos mercaderes.

Llegamos a una isla, saliendo expulsados por los aires, pues en realidad era una ballena.

Naufragué sobre una tabla hasta la costa, tomando un barco para volver a Bagdad.

Y Simbad,
el marino, calló. Le
dio al joven 100 monedas, rogándole que volviera al
otro día. Así lo hizo y siguió su relato:
—Volví a zarpar. Al llegar a otra isla me quedé
dormido y, al despertar, el barco se había
marchado. Llegué hasta un profundo
valle sembrado de diamantes y
serpientes gigantescas. Llené
un saco con todas las joyas
que pude, me até un trozo de
carne a la espalda y esperé a
que un águila me llevara hasta
su nido, sacándome así de
este horrendo lugar.

Terminado el relato,
Simbad, el marino volvió
a darle al joven 100
monedas, rogándole que
volviera al día siguiente.

–Con mi fortuna pude quedarme aquí –relató Simbad–, pero volví a navegar. Encallamos en una isla de pigmeos; quienes nos entregaron al gigante con un solo ojo, que comía carne humana. Más tarde, aprovechando la noche, le clavamos una estaca en su único ojo y huimos de la isla, volviendo a Bagdad.

Simbad dio al joven nuevas monedas, y al otro día evocó:

–Esta vez, naufragamos en una isla de caníbales. Cautivé a la hija del rey, casándome con ella; pero poco después murió, ordenándome el rey que debía ser enterrado con mi mujer. Por suerte, pude huir y regresé a Bagdad cargado de joyas.

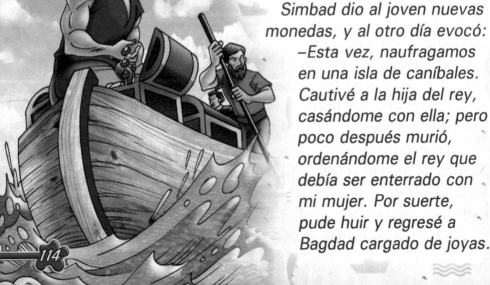

Simbad, el marino, siguió narrando y el joven escuchándolo:

–Por último –dijo– me vendieron como esclavo a un traficante de marfil. Yo cazaba elefantes y un día, huyendo de uno, trepé a un árbol; pero el animal lo sacudió tanto, que fui a caer en su lomo, llevándome hasta su cementerio. ¡Era una mina de marfil! Fui donde mi amo y se lo conté todo. En gratitud, me dejó libre, regalándome valiosos tesoros. Volví y dejé de viajar. ¿Lo ves?, sufrí mucho, pero ahora gozo de todos los placeres.

Al acabar, el anciano le pidió al joven que viviera con él, aceptando encantado; siendo muy feliz a partir de entonces.

Fin

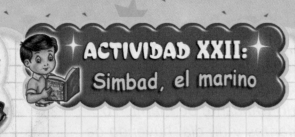

ACTIVIDAD XXII:
Simbad, el marino

Comprensión de lectura

1. ¿Quién era el joven Simbad?

2. ¿Cómo se llama la ciudad donde vivía el joven Simbad?

3. ¿Quién invitó a cenar al joven Simbad?

4. ¿Cómo se llamaba el anciano millonario?

5. ¿Con quién se casó el viejo marinero Simbad en la isla de caníbales?

6. ¿Qué le pide el anciano marinero al joven Simbad, el cargador?

Dame tu opinión

7. ¿Te gustaron las aventuras de Simbad, el marino?

8. ¿Te gustaría viajar por el mar?, ¿por qué?

Alí Babá y los 40 Ladrones

De Las mil y una noches

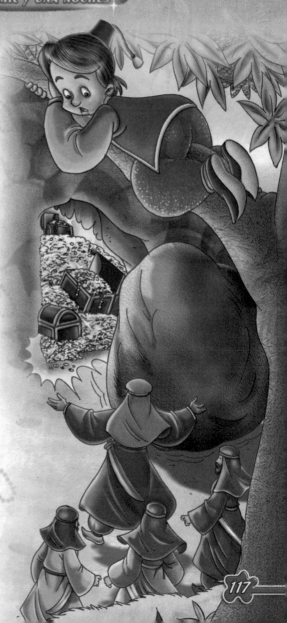

Alí Babá era honesto y humilde; tenía una buena mujer: Luz de la noche. Su hermano Kassim era deshonesto y malvado.

Un día que estaba en el bosque oyó un ruido atronador.

Asustado trepó a un árbol, viendo 40 jinetes cabalgando, cada uno con una bolsa llena de oro. ¡Eran ladrones! Y al llegar frente a una gran roca, el jefe gritó: «¡Ábrete sésamo!». Se oyó un trueno y la roca se abrió como por encanto. ¡Increíble!

Los ladrones entraron y ya dentro, el jefe gritó: «¡Ciérrate sésamo!». Y la roca se cerró. Era su guarida. Al rato salieron, la roca se cerró y los ladrones se alejaron a todo galope.

Alí Babá bajó del árbol y, frente a la roca, gritó: «¡Ábrete sésamo!». Y se abrió. Raudo entró, hallando un fabuloso tesoro. «¡Ciérrate sésamo!» dijo, recogiendo una gran cantidad de monedas y rubíes; asegurando su vida por mucho tiempo.

Ya en casa su mujer saltó de alegría, acordando guardar el peligroso secreto. Iban a pesar el oro, teniendo la mala idea de pedir la balanza a Kassim. La mujer de éste sospechó y se lo dijo a su marido, quien obligó a Alí Babá a contárselo todo.

Kassim corrió a la cueva y, luego de gritar los «sésamos» ingresó a ella, estando muchas horas recolectando su propio tesoro.

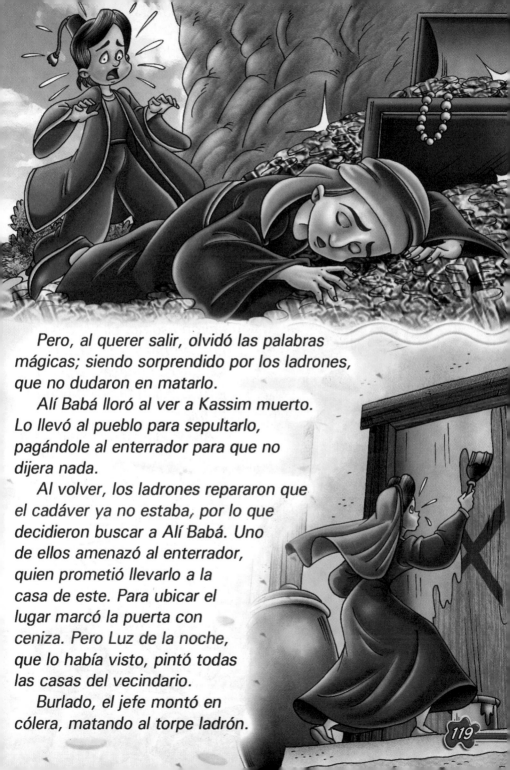

Pero, al querer salir, olvidó las palabras mágicas; siendo sorprendido por los ladrones, que no dudaron en matarlo.

Alí Babá lloró al ver a Kassim muerto. Lo llevó al pueblo para sepultarlo, pagándole al enterrador para que no dijera nada.

Al volver, los ladrones repararon que el cadáver ya no estaba, por lo que decidieron buscar a Alí Babá. Uno de ellos amenazó al enterrador, quien prometió llevarlo a la casa de este. Para ubicar el lugar marcó la puerta con ceniza. Pero Luz de la noche, que lo había visto, pintó todas las casas del vecindario.

Burlado, el jefe montó en cólera, matando al torpe ladrón.

El mismo jefe halló la casa y trazó su plan. Entraría como falso vendedor de aceite, con 38 tinajas: allí irían sus ladrones.

La noche fijada llegó a casa de Alí Babá pidiendo posada. Alí aceptó. Cuando todos dormían Luz de la noche despertó:

—Necesito aceite para las lámparas, —pensó— veré en las tinajas.

Tomó un pesado cucharón, abrió la primera tinaja y un ladrón asomó. Ella le dio un cucharonazo. Así pasó con los otros. Furiosa despertó al jefe, a quien también le hizo lo mismo.

Alí Babá llegó asustado. Se había salvado gracias a Luz de la noche. A partir de entonces, fueron felices toda la vida.

Fin

ACTIVIDAD XXIII:
Alí Babá y los 40 ladrones

Comprensión de lectura

1. ¿Quién era Alí Babá?

2. ¿Qué encontró Alí Babá en la roca?

3. ¿Cuál era la frase para abrir la roca?

4. ¿Qué sucedió con Kassim?

5. ¿Quién pidió posada a Alí Babá?

6. ¿Quién salvó a Alí Babá?

Dame tu opinión

7. ¿Crees que existan tesoros escondidos?

8. Si te encontraras un tesoro ¿en qué lo emplearías?

La Niña de la Nieve

CUENTO UCRANIANO

L a anciana suspiraba al revolver la sopa. Estaba triste, viendo a los niños jugar con su muñeco de nieve. Ellos no lo tenían. Su anciano esposo dejó la leña y miró por la ventana.

–¡Marusha! ¡Mira el muñeco de nieve! –le dijo a la anciana, incluyendo su gran idea–. ¡Hagamos nuestro propio muñeco!

–Los vecinos se burlarían, –dijo ella– ya somos muy viejos.

–¡Un muñequito, Marusha! Me aseguraré que nadie nos vea.

–De acuerdo, –dijo ella riéndose– ¡lo haremos Youshko!

Salieron, llegando a un lugar escondido para trabajarlo. Lo moldearon en un abrir y cerrar de ojos; luciendo espléndido al acabarlo.

De pronto, algo muy raro le pasó al muñeco: le surgieron dos ojos azules, sus mejillas brillaron y sus labios rosados comenzaron a sonreír. El viento formó unos lindos bucles, y en un mágico instante se transformó en una hermosa niñita.

Se miraron incrédulos, pero era verdad: ¡tenía vida!, pues corrió hacia ellos. Rieron y lloraron de dicha, pellizcándose, creyendo que era un sueño; decidiendo volver a casa.

Allí, mientras la mujer con la niña en su regazo le cantaba una canción de cuna, el anciano tomó su mano y le dijo: –¡Es nuestra hija! La recogimos de la nieve, por ello se llamará Snegorotchka.

La Niña de la Nieve

Al amanecer, al llamarles «papá» y «mamá», los ancianos se sintieron felices hasta el llanto. Organizaron una fiesta invitando a todos los niños, quienes se encandilaron con la dulzura de la niña.

Era la luz de vida de Marusha y Youshko.

Pero el frío y la nieve iban muriendo. Todo reverdecía como si la primavera, atada en el invierno, quisiese despertar.

Una tarde, Youshko observó el pálido rostro de su niña:

–Papá –le dijo ella, acercándose– ¡es que añoro la nieve!

–La nieve volverá –le dijo el anciano–. ¿No te gustan las flores?

–No son tan bonitas como la nieve– y la niña se estremeció.

A la mañana siguiente, la niña lucía peor que el día anterior.

–Hijita –le dijo Marusha–, papá y yo te protegeremos del mal.

Y salieron de la casa. Mas el perfume floral le hizo daño.

De pronto, un rayo de sol cayó como un dardo y la niña se cubrió, lanzando un grito desgarrador.

Lloraba, comenzando a empequeñecer, así, hasta que «la niña de la nieve» se transformó en una gota de rocío, una lágrima en la corola de una flor.

Youshko la recogió con delicadeza y se la dio a Marusha.

Entonces, los ancianos entendieron que su pequeña niña estaba hecha sólo de nieve y se había derretido al calor del sol.

Fin

ACTIVIDAD XXIV:
La niña de la nieve

Comprensión de lectura

1. ¿Quiénes eran los padres de la niña?

2. ¿Cómo nació la niña de la nieve?

3. ¿Cómo se sentían los padres de la niña?

4. ¿Cómo celebraron el nacimiento de la niña?

5. ¿Qué le sucedía a la niña al llegar la primavera?

6. ¿En qué se convirtió la niña de la nieve?

Dame tu opinión

7. ¿Te gustó el cuento?, ¿por qué?

8. ¿Qué piensas de las personas que no tienen hijos?

LOS AUTORES

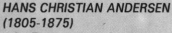

HANS CHRISTIAN ANDERSEN (1805-1875)

Autor danés. Entre sus más famosos cuentos están: El patito feo, El traje nuevo del emperador, Las zapatillas rojas, El soldadito de plomo, El ruiseñor, El sastrecillo valiente y La sirenita; traducidos a más de 80 idiomas.

LOS HERMANOS GRIMM

Jacob Ludwig Karl Grimm (1785-1863) y **Wilhelm Karl Grimm (1786-1859),** nacidos en Hanau, Alemania. Recopilaron los relatos folclóricos alemanes en sus Cuentos para la infancia y el hogar (1812-1815), ampliados en sus Cuentos de hadas.

ANTÓN CHÉJOV (1860-1904)

Narrador y dramaturgo ruso. Entre sus principales relatos destacan: La dama del perrito, La cerilla sueca y Vanka; y entre sus obras teatrales: La gaviota (1896), El tío Vania (1899) y El jardín de los cerezos (1904).

FERNÁN CABALLERO (1796-1877)

Seudónimo de la escritora Cecilia Böhl de Faber. Nació en Suiza, estudió en Alemania, y radicó en España (primero en Cádiz, y luego en Andalucía). Sus obras, que revolucionaron la novela española del siglo XIX, son: Lágrimas (1850) y El alcázar de Sevilla (1862).

VICTOR HUGO (1802-1885)

Escritor francés que influenció, notoriamente en la corriente literaria romántica de su país. Las obras que lo llevaron a la fama son: Hernani (1830), Nuestra Señora de París (1831) y Los miserables (1862).

GEOFFREY DE MONMUTH (1100-1155)

Escritor y eclesiástico inglés que contribuyó a fijar la leyenda artúrica con las principales características que hoy conocemos. En tres capítulos de su obra Historia de los reyes de Bretaña (1139), narra los primeros relatos sobre el rey Arturo.

MARK TWAIN (1835-1910)

Seudónimo de Samuel Langhorne Clemens. Nació en Missouri, Estados Unidos, y desde muy joven estuvo relacionado con el mundo editorial. Sus obras más célebres son: Las aventuras de Tom Sawyer (1876), El príncipe y el mendigo (1882) y Las aventuras de Huckleberry Finn (1884).

RABINDRANATH TAGORE (1861-1941)

Escritor nacido en Calcuta, India; en 1913 recibió el Premio Nobel de Literatura por su valiosa producción literaria (escribió cuentos, poemas, novelas y dramas; además de canciones tradicionales). Destacan sus obras: Nashtanir (1901) y Gijantali (1910).

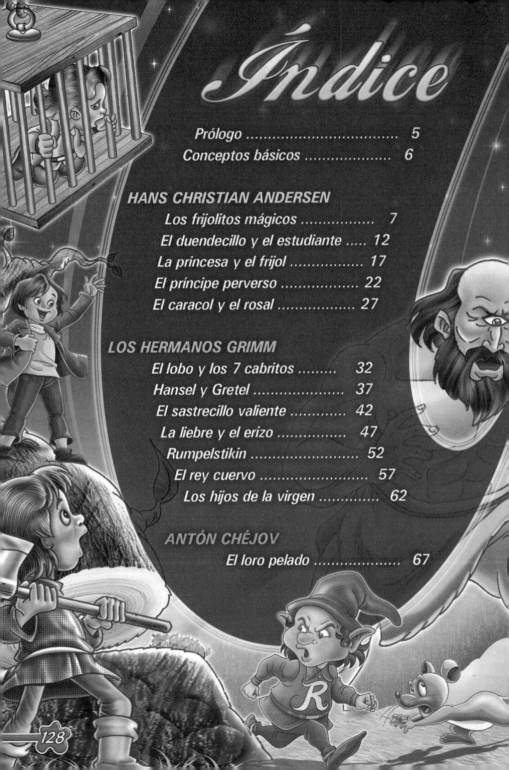

Índice

La presente edición se terminó
de imprimir en los talleres gráficos de
Corporación Editora Chirre S.A.,
ubicados en Av. Los Rosales Nº 328,
Urb. Shangri-Lá / Puente Piedra / Lima - Perú
Teléfono: 715-6702